Antonio García Gutiérrez

Heath's Modern Language Series

EL TROVADOR

POR

ANTONIO GARCÍA GUTIÉRREZ

EDITED WITH EXERCISES, NOTES, AND VOCABULARY

BY

H. H. VAUGHAN
UNIVERSITY OF CALIFORNIA

AND

M. A. DE VITIS
UNIVERSITY OF PITTSBURGH

D. C. HEATH AND COMPANY

BOSTON   NEW YORK   CHICAGO   LONDON

ATLANTA   DALLAS   SAN FRANCISCO

A

HERMANITA MENOR

PREFACE

THIS edition of one of the masterpieces of the Spanish Romantic drama has been prepared particularly for second-year classes. *El Trovador* has been used with four second-year (second semester) High School classes, and four second-year (first semester) College classes, in all of which a record was kept of the difficulties that were more or less common to those eight classes. The result is this edition of *El Trovador*.

Our experience has been that *El Trovador* is the most popular of all the Spanish plays read with second-year classes. This may be due, in part, to the fact that most students have heard at some time or other either the opera *Il Trovatore* or selections from it. For that reason we have deemed it advisable to point out, in the notes, where the different famous arias of the opera are sung. Students doubtless will enjoy hearing phonograph records of certain arias after they have read of the situation which gave rise to the aria in question. In this connection we might say that arias are quoted by their first lines both in Italian and English. As frequently the order of thoughts is changed in translations, first lines often do not correspond.

The Introduction has been made necessarily brief since this edition is intended primarily for intermediate classes. But if teachers wish to have their classes do further reading on García Gutiérrez or on Romanticism, we suggest the following books, which are easily obtainable:

Enrique Piñeyro: *El Romanticismo en España*. Paris, 1904. Garnier Hermanos.

El Trovador (edition Adolfo Bonilla y San Martín). Madrid, 1916. Ruiz Hermanos.

Nicholson B. Adams: *The Romantic Dramas of García Gutiérrez*. New York, 1922. Instituto de las Españas.

M. Romera-Navarro: *Historia de la literatura española.* Boston, 1928.   D. C. Heath and Company.

César Barja: *Libros y autores modernos.*   1924.   Sold by G. E. Stechert and Company, New York.

In the preparation of the Introduction we have made use of the commentaries of Larra in *El Español* of March 4 and 5, 1836, and of the *Advertencia* in Bonilla y San Martín's edition of *El Trovador.*   In addition, we acknowledge gratefully the careful criticism of Professor Whitford H. Shelton and the helpful suggestions and assistance of Miss Dorothy Torreyson, both of the University of Pittsburgh.

H. H. V.
M. A. DE V.

CONTENTS

INTRODUCTION

I. García Gutiérrez

Antonio García Gutiérrez, author of *El Trovador*, was born of a poor family in Chiclana, province of Cádiz, July 5, 1813. In 1833 he went to Madrid, after having abandoned his studies in medicine at the Colegio de Medicina in Cádiz. While in the capital, he showed considerable poetical aptitude in his contributions to the newspapers and magazines, and especially in the compositions which he read at the famous *tertulia* of the Parnasillo — held in a café next to the Teatro del Príncipe — which was the *rendez-vous* of such intellectuals as Mesonero Romanos, Grimaldi the impresario, Bretón de los Herreros, Gil y Zárate, Ventura de la Vega, Espronceda, Larra, and many others.

He translated several plays from the French, particularly those of Scribe, but did not succeed in having them staged. He won the friendship of the caustic critic *Figaro* (Larra), the poet Espronceda, and the dramatist Ventura de la Vega, who read with approval his play *La noche de baile*. He tried to have this play staged in the Teatro del Príncipe, where the most famous names of the Spanish stage had been immortalized. Grimaldi was about to offer the play to the public but hesitated at the last moment, on considering the youthfulness of the new author. Instead, he offered him a place on the staff of *La Revista Española*, with pay barely sufficient to keep body and soul together.

About this time the French Romantic writers, such as Victor Hugo, Dumas *père* and Lamartine, who had so much influence on the best Spanish writers of the day, began to attract his attention. Seeing that the Romantic school was appealing to the taste of the Spanish public, he decided to use his inspiration in writing a drama "according to the times," and in little less than half a year he wrote *El Trovador* (1835), which was acclaimed upon its presentation to the literary coterie of the Parnasillo.

Before it was acted on the stage, however, the play weathered some anguishing storms. Once completed, García Gutiérrez offered it to Grimaldi, who decided to have it staged at a less important theater, that of La Cruz, but some of the actors of the company managed to have it taken off the boards. With this disappointment, the financial situation of the young writer became precarious. Just then Mendízabal was issuing a call for one hundred thousand volunteers for the army. García Gutiérrez was one of the first to enlist. He was stationed at Leganés when he was apprised of a new turn in the fate of his play. Espronceda, who had read the work in the Parnasillo and had found it admirable, was astonished when he heard of the treatment accorded it by the players of La Cruz. With characteristic energy he set about to rescue the play of his young friend, and succeeded in having it produced at the Teatro del Príncipe, where it made its initial appearance on the night of March 1, 1836. The house was sold out, and *El Trovador* met with a success unparalleled since the first presentation of the *Raquel* (end of the eighteenth century) of García de la Huerta. The favor with which it was received was so great that the audience called for the author to appear before the curtain — something unusual in the theatrical circles at that time.[1] García Gutiérrez, who was absent from quarters, without permission, in order to witness the first presentation of his play, was introduced to the public by the leading actors of the Teatro del Príncipe, Carlos Latorre and Concepción Rodríguez, but in order to make his appearance he had to borrow a military coat from Ventura de la Vega.

---

[1] This was not the first time in the history of the Spanish stage that an author had been called before the curtain, as has been erroneously supposed. Leandro Fernández de Moratín was called to make his bow to the audience when his play *El Barón* was presented in Barcelona, in 1814.

Although *El Trovador* was one of the greatest successes of the Spanish stage, the later plays of García Gutiérrez were not so successful, in spite of the fact that certain critics consider some of them to be superior, especially *El encubierto de Valencia* (1840) and *Simón Bocanegra* (1843). García Gutiérrez translated also some of the works of Dumas *père*, collaborated with Zorrilla and Isidoro Gil, and wrote two volumes of poetry (1840–1842).

In 1844 he set sail from Santander for Havana, where he remained for some time, going from there to Yucatán. There he wrote three plays, which were staged in the capital, Lérida — *La mujer valerosa*, *Los alcaldes de Valladolid*, and *El secreto del ahorcado*.

In 1850 he returned to Spain, and in 1855 he was sent to London as Commissioner on the Spanish Debt Mission. Two years later he returned to his native country. In 1860 he won new laurels with his drama *Un duelo a muerte*. In 1864 he produced his *Venganza catalana*, and the following year *Juan Lorenzo* (considered by some his masterpiece), which are probably his best constructed plays. In all, García Gutiérrez wrote nearly sixty plays.

In 1865 he was admitted to the Royal Spanish Academy, and seven years later he was appointed Director of the Archeological Museum. He died in Madrid August 26, 1884, at an age of seventy-one.

By some critics, especially Adolfo Bonilla y San Martín, García Gutiérrez is considered one of the best Spanish dramatists of the nineteenth century, although this critic adds, " He possesses neither the vigor of the Duque de Rivas nor the grandiloquence of Zorilla; neither the consummate art of Tamayo y Baus nor the depth of Ayala." [1]

The works of García Gutiérrez are of uneven merit. While *El Trovador*, *Simón Bocanegra*, *Venganza catalana*, and *Juan Lorenzo* are all of high rank, some of his plays such as *El Paje*

[1] *El Trovador.* Madrid, Ruiz Hermanos, 1916.

and *Los desposorios de Inés* are rather weak and poorly constructed. But in spite of this García Gutiérrez "is, perhaps, more tender, more intimate, than most of the dramatists of his time," as one may gather from what Hartzenbusch wrote, in 1866, when he was praising "his generous and noble tendencies and the sweetness of his easy-flowing verses," and when he remarked that some of his characters, especially those of the women and of the fathers, were painted "with the gentle brush of a Lope."

II. EL TROVADOR

El Trovador is a romantic drama with melodramatic traits. The events follow one another with rapidity but seem often to be dependent upon chance, and the characters are victims at the hands of fate. Our author has imagined a fantastic and ideal subject, and beyond the names of some of the characters, the reference to the revolts of the Conde de Urgel, and the death of the bishop of Saragossa, the play has no historical foundation. As to the plot of the play, it is rich, well conceived, and skilfully developed. The action holds one's interest, and this interest increases steadily up to the climax. And while love is beautifully portrayed, it is not the dominating passion; another passion, if less tender, no less powerful overshadows it, — vengeance.

Some critics, as Francisco Blanco García, have criticized the mingling of prose and verse in the play. But in this García Gutiérrez merely followed the form of the great play which marked the triumph of Romanticism in Spain, — the *Don Alvaro* of the Duque de Rivas. As a Romanticist García Gutiérrez follows the Duque de Rivas in his disregard for the classical unities, especially of time and place, and in his respect for the lyrical movement, use of contrasts, and the use of prose or poetry as the characters are of the lower social classes or of the nobility. "At any rate," says another critic, "García

Gutiérrez in *El Trovador* shows a mind of rich and vivid imagination; he has created and handled the legendary in a masterly way such as few have; his development of plot and his poetic rendition are so genuinely Spanish that he is rightly considered as one of the leading Spanish playwrights of the nineteenth century."

El Trovador has its shortcomings as well as its merits. Larra analyzed the play in detail in *El Español* of March 4 and 5, 1836, mentioning among its defects the numerous unjustifiable entries and exits (such as Manrique's appearance in Saragossa, and later, in the palace, Act I, sc. IV and V; his entrance into the convent, Act II, sc. VII; his visit to Leonor's cell, Act III, sc. IV — " something difficult to account for without adequate, explanation "); unlikely situations, such as Don Nuño's allowing Leonor to go to the cell of her lover when she had preferred the convent to accepting his own hand; Leonor's admission to Manrique's cell when she is not even the bearer of any order from Don Nuño; the character of the dialogues — " those in prose resembling the dialogue of a novel while those in verse are lyrical rather than dramatic." Among its unquestionable merits Larra mentions the well-sustained characters, especially those of Leonor, Manrique and Azucena; the beautiful theatrical effects, such as the closing scene of Act I; the dialogue between Leonor and Manrique, Act I, sc. IV — " a model of tenderness and of sweet and easy versification"; the marvelous effect produced by the appearance of the troubadour while his betrothed is taking the veil; the monologue with which Act III, sc. IV, begins; and Manrique's dream, in Act IV, sc. VI.

From *El Trovador*, Salvatore Cammarano arranged the story and text of Giuseppe Verdi's most popular opera, *Il Trovatore*, which was performed for the first time at the Teatro Apollo, in Rome, January 19, 1853.

III . ROMANTICISM

The first half of the nineteenth century records the triumph of Romanticism in literature, and of democracy in government. The two movements are so closely associated in so many nations, and in so many periods of history, that one must wonder if there is not some relation of cause and effect between them. The Romantic movement, which marked a change from the rigid adherence to classic standards to an appreciation of imaginative sentiment and the beauties of nature, can not be said to have originated in one country or with one writer, nor were the changes identical in all countries. As one critic has said, " What is romantic is really as old as human imagination. Imagination is the power of seeing under the surface of things, the power of detecting the beauty that is hidden in what looks commonplace. Imagination is the mother of romance, and neither the mother nor the daughter has ever been far distant, even if we fail to behold them." As reason dominates the classical period, so imagination is the strongest element in the modern Romantic period.

Most of the eminent writers of the Romantic school treat their material subjectively, and they appeal less to the reason than to the imagination. They believe that facts have little or no value in literature, except as they enhance the beauty and dignity of the work and serve to bring into relief the struggle of human existence. Another characteristic is interest in, and affection for, the days of knighthood. For example, the time of *El Trovador* is the fifteenth century.

The Romantic plays, which try to make us forget, rather than remember, the realities of life and draw us away from our own stern, or prosaic, work-a-day world into one of imagination and dreams, are divided, according to subject-matter, into several classes, ranging from those whose aim is to arouse pleasurable emotions to those which depict the most terrible of tragic events. In every case the situations and the characters are felt to be exceptional rather than usual, although some details may be commonplace.

From the diverse productions of the early nineteenth century, we may judge that the characteristic traits of the Romantic movement are individualism and a revolt against tradition and authority. As has been said before, Romanticism is not exclusively the movement of one country. The spirit that produced it was abroad throughout Europe and America, and it was shown in other fields than literature. The American Revolution, the French Revolution, the stubborn resistance of the Spanish people to a French king, the Hispanic-American Wars of Independence, the bloodless English Revolution culminating in the Reform Bill of 1832 — all were due to the widespread spirit of revolt. In the literature of France, Germany, England, Spain and the United States (in the last-named country sometimes under the designation of Transcendentalism, as in the case of Bryant), the same note was struck.

Whereas in these countries the victory of Romanticism meant an abrupt breaking away from the literary traditions of their respective classic schools, in Spain it was nothing more than a return to the writers of the past and following again the traditions of the Siglo de Oro. This really might be termed a Pre-Romantic period. In Germany, too, it was to Calderón that Friedrich Schlegel and the German Romanticists directed their gaze, and Schlegel went so far as to proclaim Calderón the ideal dramatist who had solved all the problems of dramatic treatment of human life.

Romanticism appeared in Spain at a later date than in the rest of Europe, due to the tyranny imposed upon that country by the long reign of Ferdinand VII (1808–1833), which had paralyzed all manifestations of intellectual activity. Some of the most famous Spanish men of letters of this period, as Espronceda, Martínez de la Rosa and the Duque de Rivas, had taken refuge in foreign countries, — Germany, France, and

England, where at this time many of the great Romanticists, among them the Schlegel brothers, Victor Hugo, Byron, Southey, and Scott, were seeking inspiration for their works in the history and literature of Spain. Consequently it is easily seen how these Spanish exiles became fervent adherents of the Romantic school. On the death of Ferdinand literature was given a new life in Spain, and in the year 1834 there appeared two plays which are considered as the forerunners of Spanish Romanticism — *La conspiración de Venecia*, by Martínez de la Rosa, and *Macías*, by Mariano José de Larra. But the great work which marked the triumph of this movement in Spain was *Don Alvaro*, by the Duque de Rivas, which appeared in 1835, followed the next year by *El Trovador* which, as has been said before, is regarded by some critics as the masterpiece of Spanish Romanticism.

IV. NOTES ON SPANISH VERSIFICATION.

The following remarks are confined to a discussion of the different verse-forms found in *El Trovador*.

The fundamental principles of Spanish prosody are meter, rime or assonance, and rhythm.

Syllabification. — (*a*) In Spanish verse each line must have a definite number of syllables. Every Spanish word contains as many syllables as it has vowels (diphthongs and triphthongs counting as vowels).[1]

(*b*) For metrical purposes two vowels within a word forming two distinct syllables may count as one syllable: *àho-ra* for *a-ho-ra*. This is called *synæresis*.

---

[1] Diphthongs may consist of a strong vowel (*a*, *e* or *o*) and a weak vowel (*i*, *y* or *u*). *ui*, *ay*, *eu*, *oi*, etc.; or of two weak vowels: *iu*, *ui*, etc. If two strong vowels come together, we do not have a diphthong, but two distinct syllables: *Le-o-nor*, *ca-er*, etc. A written accent over one of two vowels which might otherwise form a diphthong, indicates division into two syllables: *bi-za-rrí-a; cre-í-do*, etc. A strong vowel between two weak ones forms a triphthong, which is pronounced in one syllable: *fiáis*, *a-ve-ri-guáis*, etc.

(*c*) The final vowel of one word and the initial vowel of a word immediately following it in the same line, generally form one syllable: *dē ūn, quē ā-sí*. This is called *synalepha*. Note that the union of vowels in separate words is called synalepha, while the union of vowels within a word is called synæresis.

The letter *h*, which is always silent, is disregarded: *aho-gar, ahor-car*.

Synæresis and synalepha are important factors in versification since Spanish verse depends upon a determined number of syllables per line.

(*d*) The separation of two vowels that ordinarily form a diphthong, is called *diæresis*, and is usually designed as such by two dots placed upon the unstressed vowel of the combination: *vï-o-le-ta*.

(*e*) The concurrence of two vowels in two successive words or syllables without contraction (i.e. without synalepha), is called *hiatus*. Hiatus is used to dissolve synalepha, just as diæresis is used to dissolve a diphthong: *soy-un-hom-bre-des-pre-cia-ble*.

(*f*) Vowels of three successive words may not combine if the middle word is *y, e, o,* or *u*. These conjunctions combine with the preceding word: *ju-ra-men-tō y-a-mor*.

Rime or Assonance. — Spanish blank verse (*versos sueltos* or *libres*) and consonantal rime are the same as in English.[1] However, Spanish has also a vocalic rime, called *assonance*, i.e., the vowels are the same, beginning with the last stressed syllable, but the consonants different: *al-tar* and *que-rrán* (assonance *a*); *des-pre-ciar-me* and *ma-dre* (assonance *á-e*).

Rhythm. — (*a*) Spanish verse does not have the strongly marked rhythmic accent of English verse, and the syllables should read evenly, with the exception of a slight emphasis or pause in the longer verses, called *cæsura*, upon the word that bears the rhythmic stress.

---

[1] Since *b* and *v* represent the same sound, they can rime together: *es-ta-ba* and *cla-va*.

The shorter verses have ordinarily one rhythmic accent, which ordinarily falls upon the syllable nominally preceding the final syllable.

Des-pa-cio-vie-ne-la-muèr-te.

In an eleven-syllable line, there is a secondary accent which ordinarily falls upon the fourth or the sixth syllable.

¡ Sí,-tú e-res-el-ver-dù-go! A-ca-so-bus-cas
Ya-no-pal-pì-ta el-co-ra-zón;-sus-o-jos

Verse. — (a) A verse whose last word is stressed on the last syllable is called *verso agudo*. In a *verso agudo* the last syllable counts for two.

Si a ha-blar-del-con-de-ve-nís
 1   2   3   4   5 6 7-8

A verse whose last word is stressed on the next to the last syllable, or penult, is called *verso llano*.

Ya-no-pue-do-ser-del-còn-de
 1 2 3   4   5 6   7   8

A verse whose last word is stressed on the second syllable from the last, or antepenult, is called *verso esdrújulo*. In a *verso esdrújulo*, the intermediate syllable between the stressed and the final syllable does not count, either in enumerating syllables in the verse, or for rime.

Al-ver-ya-cer-ca-la-víc-ti-ma
 1 2 3   4 5 6 7 – 8

Strophe. — The following are the strophe or verse forms found in *El Trovador*:

(a) *Redondilla*, a stanza of four eight-syllable lines (*octosíla-bos*), with the rime scheme *abba* or *abab*. Most of the verse of this play consists of *redondillas*.

Mil-que-jas-ten-go-que-dar-os
si o-ír-me, her-ma-na,-que-réis.   (*verso agudo*)

Ha-blar,-don-Gui-llén,-po-déis,   (*verso agudo*)
que-pron-tá es-toy a-es-cu-cha-ros.   (Note hiatus, 4–5)
Si a ha-blar-del-con-de-ve-nís,   (*verso agudo*)
que-se-rá en-va-no os-ad-vier-to,
y-me e-no-ja-ré-por-cier-to
si en-tal-te-ma-per-sis-tís.   (*verso agudo*)

(*b*) *Romance*, or ballad measure, generally consisting of eight-syllable lines, whose alternate verses rime in assonance.

¡ Ji-me-na! Al-fin-a-ban-do-nas
a-tu a-mi-ga.-Quie-ra el-cie-lo
ha-cer-te a-ti-más-fe-liz,   (*verso agudo*)
tan-to-co-mo-yo-de-se-*o*.

A *romance* of eleven-syllable verses (*endecasílabos*) is called *romance real* or *romance heroico*.

Ya-no-pal-pi-ta el-co-ra-zón;-sus-o-jos
ha-ce-rra-do-la-muer-te-des-pia-d*a*-d*a*.
A-par-tad-e-sas-lu-ces;-mi a-mar-gu-ra
pia-do-sos-res-pe-tad . . .-no-me a-cor-d*a*-b*a* . . .

(*c*) *Quintilla*, a stanza of five verses and only two rimes, the latter so arranged that the three verses having the same rime never come together.

a   E-sa-so-ber-bia am-bi-ción   (*verso agudo*)
b   que-le-cie-ga y-le-de-vo-ra
a   es-¡tris-te! -mi-per-di-ción.   (*verso agudo*)
b   ¡ Y-quie-re-que al-que-me a-do-ra
a   a-rro-je-del-co-ra-zón!   (*verso agudo*)

(*d*) *Canción*, generic term for all lyrical compositions. The rime scheme and the length of line are generally determined by the author. Cf. the three canciones on page 31, lines 1–8; page 38, lines 1–12; and page 62, lines 14–19, 24–29.

(*e*) *Silva*, a poem made up of an indefinite number of eleven-syllable and seven-syllable verses but with no definite order of rime. The verses that rime are in consonance, others are often left unrimed. There is only one example of the *silva* in *El Trovador*, on page 54, line 5 to page 55, line 21.

(*f*) *Versos sueltos* or *libres*, blank verse, consist of eleven-syllable lines, with an occasional seven-syllable verse. See Act III, sc. v.

EL TROVADOR

DRAMA CABALLERESCO EN CINCO JORNADAS EN PROSA
Y VERSO

PERSONAJES

Don Nuño de Artal, Conde de Luna
Don Manrique (El Trovador)
Don Guillén de Sese
Don Lope de Urrea
Doña Leonor de Sese
Doña Jimena
Azucena
Guzmán, criado del Conde de Luna
Jimeno, idem
Ferrando, idem
Ruiz, criado de Don Manrique
Un Soldado

Soldados, sacerdotes y religiosas

Aragón — Siglo XV

EL TROVADOR

JORNADA PRIMERA

EL DUELO

Zaragoza: sala corta en el palacio de la Aljafería

ESCENA PRIMERA

GUZMÁN, JIMENO, *y* FERRANDO, *sentados*

JIMENO.   Nadie mejor que yo puede saber esa historia; como que hace muy cerca de cuarenta años que estoy al servicio de los Condes de Luna.

FERRANDO.   Siempre me lo han contado de diverso modo.

GUZMÁN.   Y como se abultan tanto las cosas . . .   5

JIMENO.   Yo os lo contaré tal como ello pasó por los años de 1390.   El Conde don Lope de Artal vivía regularmente en Zaragoza, como que siempre estaba al lado de su Alteza.   Tenía dos niños: el uno que es don Nuño, nuestro muy querido amo, y contaba entonces seis meses, 10 poco más o menos, y el mayor, que tendría dos años, llamado don Juan.   Una noche entró en la casa del Conde una de esas vagabundas, una gitana con ribetes de bruja, y sin decir una palabra se deslizó hacia la cámara donde dormía el mayorcito.   Era ya bastante vieja . . .   15

FERRANDO.   ¿Vieja y gitana?   Bruja sin duda.

JIMENO. Se sentó a su lado, y le estuvo mirando largo
rato, sin apartar de él los ojos ni un instante; pero los
criados la vieron y la arrojaron a palos. Desde aquel día
empezó a enflaquecer el niño, a llorar continuamente, y
5 por último, a los pocos días cayó gravemente enfermo; la
pícara de la bruja ie había hechizado.

GUZMÁN. ¡Diantre!

JIMENO. Y aún su aya aseguró que en el silencio de la
noche había oído varias veces que andaba alguien en su
10 habitación, y que una legión de brujas jugaban con el niño
a la pelota, sacudiéndole furiosas contra la pared.

FERRANDO. ¡Qué horror! Yo me hubiera muerto de
miedo.

JIMENO. Todo esto alarmó al Conde, y tomó sus me-
15 didas para pillar a la gitana; cayó efectivamente en el
garlito, y al otro día fué quemada públicamente, para
escarmiento de viejas.

GUZMÁN. ¡Cuánto me alegro! ¿Y el chico?

JIMENO. Empezó a engordar inmediatamente.

20 FERRANDO. Eso era natural.

JIMENO. Y a guiarse por mis consejos, hubiera sido
también tostada la hija, la hija de la hechicera.

FERRANDO. ¡Pues por supuesto! . . . Dime con quién
andas . . .

25 JIMENO. No quisieron entenderme, y bien pronto tuvieron lugar de arrepentirse.

GUZMÁN. ¿Cómo!

JIMENO. Desapareció el niño, que estaba ya tan rollizo
que daba gusto verle; se le buscó por todas partes, ¿y
30 sabéis lo que se encontró? Una hoguera recién apagada
en el sitio donde murió la hechicera, y el esqueleto achicharrado del niño.

FERRANDO. ¡Cáspita! ¿Y no la atenacearon?

JIMENO. Buenas ganas teníamos todos de verla arder por vía de ensayo para el infierno; pero no pudimos atraparla, y sin embargo si la viese ahora . . .

GUZMÁN. ¿La conoceríais? 5

JIMENO. A pesar de los años que han pasado, sin duda.

FERRANDO. Pero también apostaría yo cien florines a que el alma de su madre está ardiendo ahora en las parrillas de Satanás.

GUZMÁN. Se entiende. 10

JIMENO. Pues . . . mis dudas tengo en cuanto a eso.

GUZMÁN. ¿Qué decís?

JIMENO. Desde el suceso que acabo de contaros no ha dejado de haber lances diabólicos . . . Yo diría que el alma de la gitana tiene demasiado que hacer para irse tan 15 pronto al infierno.

FERRANDO. ¡Jum! . . . ¡Jum! . . .

JIMENO. ¿He dicho algo?

FERRANDO. Preguntádmelo a mí.

GUZMÁN. ¿La habéis visto? 20

FERRANDO. Más de una vez.

GUZMÁN. ¿A la gitana?

FERRANDO. ¡No, qué disparate; no . . .! Al alma de la gitana; unas veces bajo la figura de un cuervo negro; de noche regularmente en buho. Ultimamente, noches pa- 25 sadas, se transformó en lechuza.

GUZMÁN. ¡Cáspita!

JIMENO. Adelante.

FERRANDO. Y se entró en mi cuarto a sorberse el aceite de mi lámpara; yo empecé a rezar un *Padre nuestro* en voz 30 baja . . . ni por ésas; apagó la luz y me empezó a mirar con unos ojos tan relucientes; se me erizó el cabello; tenía

un no sé qué de diabólico y de infernal aquel espantoso
animalejo. Ultimamente, empezó a revolotear por la
alcoba . . . yo sentí en mi boca el frío beso de un labio
inmundo; di un grito de terror exclamando: ¡Jesús! y la
5 bruja espantada lanzó un prolongado chillido, precipitán-
dose furiosa por la ventana.

GUZMÁN.   ¡Me contáis cosas estupendas! Y en pago
del buen rato que me habéis hecho pasar, voy a contaros
otras no menos raras y curiosas, pero que tienen la ventaja
10 de ser más recientes.

FERRANDO.   ¡Cómo!

GUZMÁN.   Se entiende que nada de esto debe traslucirse, porque es una cosa que sólo a mí, a mí particularmente
se me ha confiado.

15 JIMENO.   ¿Pero de quién?

GUZMÁN.   De otro modo me mataría el Conde.

FERRANDO y JIMENO.   ¡El Conde!

GUZMÁN.   Pero todo ello no es nada, nada; travesuras de
la juventud. ¿No sabéis que está perdidamente enamo-
20 rado de doña Leonor de Sese?

JIMENO.   La hermana de don Guillén, de ese hidalgo
orgulloso . . .

FERRANDO.   La más hermosa dama del servicio de la
reina.

25 GUZMÁN.   Seguro.

FERRANDO.   Y que está tan enamorada de aquel trovador que en tiempos de antaño venía a quitarnos el sueño
por la noche con su cántico sempiterno.

GUZMÁN.   Y que viene todavía.

30 JIMENO.   ¿Cómo! ¿Pues no dicen que está con el
Conde de Urgel, que en mala hora naciera, ayudándole a
conquistar la corona de Aragón?

GUZMÁN. Pues a pesar de eso . . .

FERRANDO. Atreverse a galantear a una de las primeras
damas de su Alteza. Un hombre sin solar, digo, que
sepamos.

JIMENO. No negaréis, sin embargo, que es un caballero 5
valiente y galán.

GUZMÁN. Sí, eso sí . . . pero en cuanto a lo demás . . .
Y luego, ¿quién es él? ¿Dónde está el escudo de sus armas?
Lo que me decía anoche el Conde: «Tal vez será algún
noble pobretón, algún hidalgo de gotera.»   10

JIMENO. Pero al cuento.

GUZMÁN. Al cuento: ya sabéis que yo gozo de la confianza del Conde; anoche me dijo, estando los dos solos
en su cuarto: «Escucha, Guzmán; quiero que me acom-
pañes; sólo a ti me atrevo a confiar mis designios, porque 15
siempre me has sido fiel; esta noche ha de ser fatal para
mí, o he de llegar al colmo de la felicidad suprema!» Sí-
gueme, añadió, y atravesó con paso precipitado las galerías,
instruyéndome en el camino de su proyecto.

JIMENO. ¿Y qué?   20

GUZMÁN. Su intento era entrar en la habitación de
Leonor, para lo cual se había proporcionado una llave.

JIMENO. ¿Cómo! . . . . ¿En palacio! . . . ¿Y se atrevió
al fin?

GUZMÁN. Entró efectivamente; pero en el momento 25
mismo, cuando lleno de amor y de esperanza se le figuraba
que iba a tocar la felicidad suprema, un preludio del laúd
del maldito trovador vino a sacarle de su delirio.

FERRANDO. ¡Del trovador!

GUZMÁN. Del mismo; estaba en el jardín. Allí, dijo 30
don Nuño con un acento terrible, allí estará también ella;
y bajó furioso la escalera. La noche era oscurísima; el

importuno cantor, que nunca pulsó el laúd a peor tiempo,
se retiró creyendo sin duda que era mi amo algún curioso
escudero; a poco rato bajó la virtuosa Leonor, y equivo-
cando a mi señor con su amante, le condujo silenciosamente
5 a lo más oculto del jardín. Bien pronto las atrevidas
palabras del Conde la hicieron conocer con quién se las
había . . . la luna, hasta entonces prudentemente encubierta con una nube espesísima, hizo brillar un instante el
acero del celoso cantor delante del pecho de mi amo; poco
10 duró el combate; la espada del Conde cayó a los pies de su
rival, y un momento después ya no había un alma en todo
el jardín.

JIMENO. ¿Y no os parece, como a mí, que el Conde
hace muy mal en exponer así su vida? Y si llegan a saber
15 sus Altezas semejantes locuras . . .

GUZMÁN. Calle . . . parece que se ha levantado ya . .

JIMENO. Temprano para lo que ha dormido.

FERRANDO. Los enamorados, dicen que no duermen.

GUZMÁN. Vamos allá, no nos eche de menos.

20 FERRANDO. Y hoy que estará de mala guisa.

JIMENO. Sí, vamos.

ESCENA II

Cámara de doña Leonor en el palacio

LEONOR, JIMENA, y DON GUILLÉN

GUILLÉN.   Mil quejas tengo que daros,
      si oírme, hermana, queréis.

LEONOR.   Hablar, don Guillén, podéis,
25   que pronta estoy a escucharos.
      Si a hablar del Conde venís.

que será en vano os advierto,
y me enojaré por cierto
si en tal tema persistís.

GUILLÉN. Poco estimáis, Leonor,
el brillo de vuestra cuna, 5
menospreciando al de Luna
por un simple trovador.
¿Qué visteis, hermana, en él
para así tratarle impía?
¿No supera en bizarría 10
al más apuesto doncel?
¿A caballo, en el torneo,
no admirasteis su pujanza?
A los botes de su lanza . . .

LEONOR. Que cayó de un bote creo. 15

GUILLÉN. En fin, mi palabra di
De que suya habéis de ser,
y cumplirla he menester.

LEONOR. ¿Y vos disponéis de mí?

GUILLÉN. O soy o no vuestro hermano. 20

LEONOR. Nunca lo fuerais, por Dios,
que me dió mi madre en vos,
en vez de amigo, un tirano.

GUILLÉN. En fin, ya os dije mi intento:
ved cómo se ha de cumplir. 25

LEONOR. No lo esperéis.

GUILLÉN. O vivir
encerrada en un convento.

LEONOR. Lo del convento más bien.

GUILLÉN. ¿Eso tu audacia responde?

LEONOR. Que nunca seré del Conde . . . 30
nunca, ¿lo oís; don Guillén?

GUILLÉN.	Yo haré que mi voluntad
	se cumpla, aunque os pese a vos.
LEONOR.	Idos, hermano, con Dios.
GUILLÉN.	¡Leonor! . . . a Dios os quedad.

ESCENA III

LEONOR y JIMENA

5   LEONOR. ¿Lo oíste?   ¡Negra fortuna!
        Ya ni esperanza ninguna,
        ningún consuelo me resta.
    JIMENA. ¿Mas por qué por el de Luna
        tanto empeño manifiesta?
10 LEONOR. Esa soberbia ambición
        que le ciega y le devora
        es ¡triste! mi perdición.
        ¡Y quiere que al que me adora
        arroje del corazón!
15   Yo al Conde no puedo amar,
        le detesto con el alma;
        él vino ¡ay Dios! a turbar
        de mi corazón la calma
        y mi dicha a emponzoñar.
20   ¿Por qué perseguirme así?
        Desde anoche le aborrezco
        más y más.   Yo que creí
        que era Manrique . . . ¡Ay de mí
        Todavía me estremezco.
25   Por él me aborrece ya,
    JIMENA. ¿Don Manrique?
    LEONOR.   Sí, Jimena.
    JIMENA. ¿De vuestro amor dudará?

LEONOR. Celoso del Conde está,
       y sin culpa me condena . . . *(llora)*

JIMENA. ¿Siempre llorando, mi amiga?
       No cesas . . .

LEONOR.   Llorando, sí;
       yo para llorar nací;   5
       mi negra estrella enemiga,
       mi suerte, lo quiere así.
       Despreciada, aborrecida
       del que amante idolatré,
       ¿qué es ya para mí la vida?   10
       Y él creyó que envilecida
       vendiera a otro amor mi fe.
       No, jamás, . . . la pompa, el oro,
       guárdelos el Conde allá;
       ven, trovador, y mi lloro   15
       te dirá cómo te adoro,
       y mi angustia te dirá.
       Mírame aquí prosternada;
       ven a calmar la inquietud
       de esta mujer desdichada;   20
       tuyo es mi amor, mi virtud . . .
       ¿Me quieres más humillada?

JIMENA. ¿Qué haces, Leonor?

LEONOR.   Yo no sé . . .
       alguien viene.

JIMENA.   ¡Él es, por Dios!
       ¡Y dudabas de su fe!   25

LEONOR. ¡Jimena!

JIMENA.   Te estorbaré . . .
       solos os dejo a los dos.

ESCENA IV

LEONOR y MANRIQUE, *rebozado*

LEONOR.	¡Manrique! ¿Eres tú?
MANRIQUE.	Yo, sí ..
	No tembléis.
LEONOR.	No tiemblo yo;
	mas si alguno entrar te vió . . .
MANRIQUE.	Nadie.
LEONOR.	¿Qué buscas aquí?
5	¿Qué buscas? . . . ¡Ah! . . . Por piedad . .
MANRIQUE.	¿Os pesa de mi venida?
LEONOR.	No, Manrique, por mi vida.
	¿Me buscáis a mí, es verdad?
	Sí, sí . . . yo apenas pudiera
10	tanta ventura creer.
	¿Lo ves? Lloro de placer.
MANRIQUE.	¿Quién, perjura, te creyera!
LEONOR.	¿Perjura?
MANRIQUE.	Mil veces, sí . . .
	Mas no pienses que insensato
15	a obligar a un pecho ingrato,
	a implorarte vine aquí.
	No vengo lleno de amor
	cual un tiempo . . .
LEONOR.	¡Desdichada!
MANRIQUE.	¿Tembláis?
LEONOR.	No, no tengo nada
20	mas temo vuestro furor.
	¿Quién dijo, Manrique, quién,
	que yo olvidarte pudiera
	infiel, y tu amor vendiera,

tu amor, que es sólo mi bien!
¿Mis lágrimas no bastaron
a arrancar de tu razón
esa funesta ilusión?

MANRIQUE. Harto tiempo me engañaron.   5
Demasiado te creí
mientras tierna me halagabas
y pérfida me engañabas.
¡Qué necio, qué necio fuí!
Pero no, no impunemente   10
gozarás de tu traición;
yo partiré el corazón
de ese rival insolente.
¡Tus lágrimas! ¿Yo creer
pudiera, Leonor, en ellas   15
cuando con tiernas palabras
a otro halagabas ayer?
¡No te vi yo mismo, di!

LEONOR. Sí, pero juzgué engañada
que eras tú, con voz pausada   20
cantar una trova oí.
Era tu voz, tu laúd;
era el canto seductor
de un amante trovador
lleno de tierna inquietud.   25
Turbada, perdí mi calma,
se estremeció el corazón,
y una celeste ilusión
me abrasó de amor el alma.
Me pareció que te vía   30
en la oscuridad profunda,
que a la luna moribunda

tu penacho descubría.
Me figuré verte allí
con melancólica frente,
suspirando tristemente
5   tal vez, Manrique, por mí.
No me engañaba . . . un temblor
me sobrecogió un instante . . .
era sin duda mi amante,
era ¡ay Dios! mi trovador.

10   MANRIQUE.   Si fuera verdad, mi vida
y mil vidas que tuviera,
ángel hermoso, te diera.

LEONOR.   ¿No te soy aborrecida?

MANRIQUE.   ¿Tú, Leonor?   ¿Pues por quién
15   así en Zaragoza entrara,
por quién la muerte arrostrara
sino por ti, por mi bien?
¿Aborrecerte!   ¿Quién pudo
aborrecerte, Leonor?

20   LEONOR.   ¿No dudas ya de mi amor,
Manrique?

MANRIQUE.   No, ya no dudo.
Ni así pudiera vivir;
me amas, ¿es verdad? Lo creo,
porque creerte deseo
25   para amarte y existir.
Porque me fuera la muerte
más grata que tu desdén.

LEONOR.   ¡Trovador!

MANRIQUE.   No más; ya es bien
que parta.

LEONOR.   ¿No vuelvo a verte?

MANRIQUE.	Hoy no, más tarde será.
LEONOR.	¿Tan pronto te marchas?
MANRIQUE.	**Hoy;**

ya se sabe que aquí estoy;
buscándome están quizá.

LEONOR.	Sí, vete.
MANRIQUE.	Muy pronto fiel **5**

me verás, Leonor, mi gloria,
cuando el cielo dé victoria
a las armas del de Urgel.
Retírate . . . viene alguno.

LEONOR.	¡Es el Conde!
MANRIQUE.	Vete.
LEONOR.	¡Cielos! **10**
MANRIQUE.	Mal os curásteis mis celos . . .

        ¿Qué busca aquí este importuno?

ESCENA V

MANRIQUE y DON NUÑO

NUÑO.	¿Qué hombre es éste?
MANRIQUE.	Guárdeos Dios

muchos años, el de Luna.   **15**

NUÑO.	(¡Pesia mi negra fortuna!)
MANRIQUE.	Caballero, hablo con vos;

si porque encubierto estoy **. . .**

NUÑO.	Si decirme algo tenéis,

descubrid . . .

MANRIQUE.	¿Me conocéis? (*Descubriéndose.*) **20**
NUÑO.	¡Vos, Manrique!
MANRIQUE.	Él mismo soy.

Nuño.	¿Cuando a la ley sois infiel
	y cuando proscripto estáis,
	así en palacio os entráis
	partidario del de Urgel?
5 Manrique.	¿Debo temer, por ventura,
	Conde, de vos?
Nuño.	Un traidor . .
Manrique.	Nunca; vuestro mismo honor
	de vos mismo me asegura.
	Siempre fuisteis caballero.
10 Nuño.	¿Qué buscáis, Manrique, aquí?
Manrique.	A vos, señor Conde.
Nuño.	¿A mí?
	Para qué saber espero.
Manrique.	¿No lo adivináis?
Nuño.	Tal vez.
Manrique.	Siempre enemigos los dos
15	hemos sido.
Nuño.	Sí, por Dios.
Manrique.	Pensáislo con madurez.
Nuño.	Pienso que atrevido y necio
	anduvisteis en retar
	a quien débeos contestar
20	tan sólo con el desprecio.
	¿Qué hay de común en los dos?
	Habláis al Conde de Luna,
	hidalgo de pobre cuna.
Manrique.	Y bueno tal como vos.
25	¿En fin, no admitís el duelo?
Nuño.	¿Y lo pudisteis pensar?
	¿Yo hasta vos he de bajar?
Manrique.	No me insultéis, vive el cielo,

	que si la espada desnudo	
	la vil lengua os cortaré.	
NUÑO.	¿A mí, villano? No sé *(Saca la espada.)*	
	cómo en castigarte dudo.	
	Mas tú lo quieres.	
MANRIQUE.	Salgamos.	5
NUÑO.	Sacad el infame acero.	
MANRIQUE.	Don Nuño, fuera os espero;	
	cuidad que en palacio estamos.	
NUÑO.	Cobarde, no escucho nada.	
MANRIQUE.	Ved, Conde, que os engañáis . . .	10
	¿Vos, vos cobarde llamáis	
	al que es dueño de esta espada?	
NUÑO.	La mía . . . Y lo sufro, no . . .	
MANRIQUE.	A recobrarla venid.	
NUÑO.	No; que no sois, advertid,	15
	caballero como yo.	
MANRIQUE.	Tal vez os equivocáis.	
	Y habladme con más despacio	
	mientra estamos en palacio.	
	Os aguardo.	
NUÑO.	¿Dónde vais?	20
MANRIQUE.	Al campo, don Nuño, voy,	
	donde probaros espero	
	que, si vos sois caballero . . .	
	caballero también soy.	
NUÑO.	¿Os atrevéis? . . .	
MANRIQUE.	Sí, venid.	25
NUÑO.	Trovador, no me insultéis	
	si en algo el vivir tenéis.	
MANRIQUE.	Don Nuño, pronto, salid.	

JORNADA SEGUNDA

EL CONVENTO

Cámara de don Nuño

ESCENA PRIMERA

DON NUÑO y DON GUILLÉN

NUÑO.	¿Don Guillén?
GUILLÉN.	Guárdeos el cielo.
NUÑO.	¿Qué hay de nuevo en la ciudad?
GUILLÉN.	¿Qué! ¿Aún no sabéis?
NUÑO.	Asentad.
GUILLÉN.	Todos lloran sin consuelo.

5
NUÑO.	¡Cómo!
GUILLÉN.	La traición impía
	que en yermo a Aragón convierte,
	dió al Arzobispo la muerte.
NUÑO.	¿Qué decís? ¿A don García?
GUILLÉN.	Ahora se acaba de hallar

10
	su cadáver junto al muro,
	que de la noche en lo oscuro
	le debieron de matar.
	Murió como bueno y fiel ...
NUÑO.	Siempre lo fué don García.

15
GUILLÉN.	Porque osado combatía
	la pretensión del de Urgel.
NUÑO.	¡Infame y cobarde acción
	que he de vengar, por quien soy!

18

GUILLÉN.   Conde . . .

NUÑO.   Sabed que desde hoy
soy Justicia de Aragón,
y si mi poder alcanza
a los traidores, os juro
por mi honor, como el sol puro,   5
que han de sentir mi venganza.

GUILLÉN.   Pero dejando esto a un lado,
que importa más vuestra vida,
¿cómo os va de aquella herida?

NUÑO.   Me siento muy mejorado.   10

GUILLÉN.   Ya era tiempo.

NUÑO.   Un año hará
que la recibí, por Cristo;
muy cerca la muerte he visto,
mas bueno me siento ya.

GUILLÉN.   La suerte al fin del trovador   15
os dió la venganza presto.

NUÑO.   No me habléis, Guillén, en esto;
habladme de Leonor,
que hace un año, más de un año,
mientras me duró mi herida,   20
que no me habláis, por mi vida,
de vuestra hermana, y lo extraño.

GUILLÉN.   ¡Don Nuño! . . .

NUÑO.   Desque dejó
el servicio de su Alteza,
de contemplar su belleza,   25
dura también me privó.
¿Consiente al fin en unir
su suerte a la suerte mía?
¿Se muestra menos impía?

GUILLÉN.	Conde, ¿qué os puedo decir?
	En vano fué amenazar,
	y nada alcanzó mi ruego;
	esposa de Dios va luego
5	a postrarse ante el altar.
NUÑO.	¡Encerrarse en un convento!
	¿Eso prefiere más bien?
GUILLÉN.	En el de Jerusalén
	va a profesar al momento.
10 NUÑO.	¡Ingrata!
GUILLÉN.	Cuando el rumor
	llegó, don Nuño, a su oído
	de que había sucumbido
	en Velilla el trovador,
	desesperada, llorosa . . .
15 NUÑO.	¿Y no hay medio, don Guillén? .
GUILLÉN.	Ninguno; ni ya está bien . . .
NUÑO.	¿Decís que aun no es religiosa?
GUILLÉN.	Pero lo será muy luego.
NUÑO.	Iré yo a verla, yo iré;
20	si es fuerza, la rogaré . . .
GUILLÉN.	Despreciará vuestro ruego.
NUÑO.	¿Tan en extremo enojada
	está?
GUILLÉN.	¿No sabéis, señor,
	que no hay tirano mayor
25	como la mujer rogada?
NUÑO.	Pues bien, la arrebataré
	a los pies del mismo altar;
	si ella no me quiere amar,
	yo a amarme la obligaré
30 GUILLÉN.	¡Conde!

Nuño.	Sí, sí . . . loco estoy,
	no os enojéis; ni he querido
	ofender . . .
Guillén.	Noble he nacido,
	y noble, don Nuño, soy.
Nuño.	Basta; ya sé, don Guillén,
	que es ilustre vuestra cuna.
Guillén.	Y jamás mancha ninguna
	la oscurecerá.
Nuño.	Está bien;
	dejadme.
Guillén.	¿Quién más que yo
	este enlace estimaría?
	Mas si amengua mi hidalguía,
	no quiero tal dicha, no.
Nuño.	Decís bien.
Guillén.	Si os ofendí . . .
Nuño.	No; dejadme . . . fuera están
	mis criados; a Guzmán
	que entre diréis.
Guillén.	Lo haré así.

5

10

15

ESCENA II

Don Nuño, después Guzmán

Nuño.	Gracias a Dios se fué ya,
	que por cierto me aburría.
	¡Qué vano con su hidalguía
	el buen caballero está!
	Si no me quiere servir
	será diligencia vana:

20

o ha de ser mía su hermana,
o por ella he de morir.

GUZMÁN. ¿Señor?

NUÑO. Cierra esa puerta.

5 GUZMÁN. ¿Qué tenéis que mandarme?

NUÑO. Siéntate.

GUZMÁN. ¿En vuestra presencia, señor!

NUÑO. Sí; quiero darte esta prueba más de mi aprecio,
voy a encargarte de una comisión arriesgada . . . ¿te
10 atreverás a hacer lo que te diga?

GUZMÁN. A todo estoy pronto.

NUÑO. Piénsalo bien.

GUZMÁN. Aunque me costara la vida; podéis disponer
de mí.

15 NUÑO. Ya lo sé, Guzmán; nunca has dejado de serme
fiel.

GUZMÁN. Y lo seré siempre.

NUÑO. Yo también sabré recompensarte. Bien conoces a doña Leonor de Sese, y sabes lo que por ella he
20 padecido.

GUZMÁN. Demasiado, señor.

NUÑO. Y hoy la voy a perder para siempre si no me
ayuda tu arrojo. Yo debía haberla olvidado; pero mi
corazón, y tal vez mi orgullo, se han resentido ya en ex-
25 tremo . . . me es imposible no amarla. Cuando murió
Manrique en el ataque de Velilla, creí que resignándose
con su suerte, se tendría por muy dichosa en dar la mano
al Conde de Luna, en llevar un apellido noble y brillante;
me engañé . . . apenas podría creerlo; ha preferido en-
30 cerrarse con su orgullo en un claustro. Hoy mismo debe
profesar en el convento de Jerusalén.

GUZMÁN. ¡Hoy mismo!

Nuño.   Sí; yo no quiero que este acto se verifique.

Guzmán.   ¿Cómo estorbarlo?

Nuño.   ¿No comprendes?

Guzmán.   Mandad.

Nuño.   Yo te prometo que nada te sucederá; el Rey 5
acaba de hacerme Justicia mayor de Aragón; de consiguiente, contra ti no se hará justicia.   El pueblo está
consternado con la muerte violenta que han dado los
rebeldes al Arzobispo; el Rey necesita de mí y de mis
vasallos en estos momentos críticos; todo nos favorece. 10

Guzmán.   Cierto.

Nuño.   ¿Cuál de mis criados te parece más a propósito
para que vaya contigo?

Guzmán.   Ferrando.

Nuño.   Dile que te acompañe; yo también le recom- 15
pensaré.

Guzmán.   ¿Oís?   (*Tocan a la puerta.*)

Nuño.   Abre.

ESCENA III

Los Mismos y Don Lope

Lope.   Su Alteza os manda llamar, Conde.

Nuño.   ¿Su Alteza? 20

Lope.   Parece que está algo alborotada la ciudad con
ciertas noticias que ha traído un corredor del ejército.

Nuño.   ¿Pues qué hay?

Lope.   Los rebeldes han entrado a saco a Castellar, y
se suena también que algunos de ellos se han introducido 25
en Zaragoza, y que esta noche ha de haber revuelta.

Nuño.   Imposible.

Lope.   La ciudad está casi desierta; todos se han consternado; pero lo más particular . . .

Nuño.   Así podrás con más facilidad . . . (*A parte a
Guzmán.*)

5   Guzmán.   Voy.

Nuño.   Escucha: supongo que no encontrarás resistencia; si la hallares haz uso de la espada.

Guzmán.   ¿En la misma iglesia?

Nuño.   En cualquier parte.

10   Lope.   Verdad es que en un tiempo en que se matan
arzobispos . . .

Nuño.   Me has entendido . . . adiós.

ESCENA IV

Don Nuño y Don Lope

Lope.   Como decía, lo que más me ha admirado de todo
ello, y lo que a vos sin duda también os sorprenderá, es la
15 voz que corre de que el que acaudillaba a los rebeldes en
la entrada del castillo era un difunto.

Nuño.   ¡Don Lope!

Lope.   ¿No adivináis quién sea?

Nuño.   Yo . . . no conozco fantasmas.

20   Lope.   Pues bien le conocíais, y le odiabais muy particularmente.

Nuño.   ¿Quién?

Lope.   El trovador.

Nuño.   ¡Manrique!   ¿No se encontró su cadáver en
25 el combate de Velilla?

Lope.   Así se dijo, aunque ninguno le conocía por su
persona.

NUÑO.   ¿Si no era él!

LOPE.   No sería, o como más bien creo . .

NUÑO.   ¿Qué?

LOPE.   Debe de haber en esto algo de arte del diablo.

NUÑO.   ¡Silencio! ¿Os queréis burlar?   5

LOPE.   No, por mi vida.

NUÑO.   ¿Y está en el castillo?

LOPE.   No, en Zaragoza.

NUÑO.   ¿Aquí?

LOPE.   Así lo ha dicho quien le vió a la madrugada 10
cerca de la puerta del Sol.

NUÑO.   Y él será tal vez el caudillo de la trama . . .

LOPE.   El es a lo menos el más osado, y por consiguiente
el más a propósito.

NUÑO.   Pluguiera a Dios que así fuese.   15

LOPE.   Nadie lo duda en la ciudad.

NUÑO.   ¿Decíais que me llamaba su Alteza?

LOPE.   Seguramente.

NUÑO.   Adiós, don Lope; esta noche los castigaremos
si se atreven.   20

LOPE.   Yo lo espero . . .

ESCENA V

DON LOPE

LOPE.   Pues no las tengo yo todas conmigo . . . y si los
soldados son como el caudillo . . . ¡pardiez! un ejército de
fantasmas, una falange espiritual.

ESCENA VI

En en fondo del teatro se verá la reja del locutorio de un convento; tres puertas, una al lado de la reja que comunica con el interior del claustro, otra a la derecha que va a la iglesia, y la otra a la izquierda, que figura ser la entrada de la calle.

Se dejan ver algunas religiosas en el locutorio; la puerta que está al lado de la reja se abre, y aparece LEONOR *apoyada del brazo de* JIMENA; *las rodean algunos sacerdotes y religiosas*

LEONOR. ¡Jimena!

JIMENA.   Al fin abandonas
a tu amiga.

LEONOR.   Quiera el cielo
hacerte a ti más feliz,
tanto como yo deseo.

5   JIMENA. ¿Por qué obstinarte?

LEONOR.   Es preciso;
ya no hay en el universo
nada que me haga apreciar
esta vida que aborrezco.
Aquí de Dios en las aras,

10   no veré, amiga, a lo menos,
a esos tiranos impíos
que causa de mi mal fueron.

JIMENA. Ni una esperanza . . .

LEONOR.   Ninguna;
él murió ya.

JIMENA.   Tal vez luego

15   se borrará de tu mente
ese recuerdo funesto.

El mal, como la ventura,
todo pasa con el tiempo.
LEONOR. Estoy resuelta; ya no hay
felicidad, ni la quiero,
en el mundo para mí;   5
sólo morir apetezco.
Acompáñame, Jimena.
JIMENA. Estás temblando.
LEONOR.   Sí; tiemblo
porque a ofender voy a Dios
con pérfido juramento.   10
JIMENA. ¿Qué decís?
LEONOR.   ¡Ay! Todavía
delante de mí le tengo,
y Dios, y el altar, y el mundo
olvido cuando le veo.
Y siempre viéndole estoy,   15
amante, dichoso y tierno . . .
mas no existe, es ilusión
que imagina mi deseo.
¡Vamos!
JIMENA.   ¡Leonor!
LEONOR.   Vamos pronto;
le olvidaré, lo prometo.   20
Dios me ayudará . . . sosténme,
que apenas tenerme puedo.

ESCENA VII

Queda la escena un momento sola; salen por la izquierda DON
MANRIQUE *con el rostro cubierto con la celada,* y RUIZ

RUIZ.	Éste es el convento.
MANRIQUE.	Sí,
	Ruiz, pero nada veo.
	¿Si te engañaron?
RUIZ.	No creo . . .
MANRIQUE.	¿Estás cierto que era aquí?
5 RUIZ.	Señor, muy cierto.
MANRIQUE.	Sin duda
	tomó ya el velo.
RUIZ.	Quizá.
MANRIQUE.	Ya esposa de Dios será,
	ya el ara santa la escuda.
RUIZ.	Pero . . .
MANRIQUE.	Déjame, Ruiz;
10	ya para mí no hay consuelo.
	¿Por qué me dió vida el cielo
	si ha de ser tan infeliz?
RUIZ.	¿Mas qué causa pudo haber
	para que así consagrara
15	tanta hermosura en el ara?
	Mucho debió padecer.
MANRIQUE.	Nuevas falsas de mi muerte
	en los campos de Velilla
	corrieron, cuando en Castilla
20	estaba yo.
RUIZ.	De esa suerte . . .
MANRIQUE.	Persiguiéronla inhumanos
	que envidiaban nuestro amor,

y ella busca al Redentor
huyendo de sus tiranos.
Si supiera que aun existo
para adorarla . . . No, no . . .
Ya olvidarte debo yo,   5
esposa de Jesucristo . . .

RUIZ.   ¿Qué hacéis? Callad . . .

MANRIQUE.   Loco estoy . . .
¿Y cómo no estarlo ¡ay cielo!
si, infelice, mi consuelo
pierdo y mis delicias hoy?   10
No los perderé; Ruiz,
déjame.

RUIZ.   ¿Qué vais a hacer?

MANRIQUE. Pudiérala acaso ver . . .
con esto fuera feliz.

RUIZ.   Aquí el locutorio está.   15

MANRIQUE. Vete.

RUIZ.   Fuera estoy.

ESCENA VIII

MANRIQUE, *después* GUZMÁN *y* FERRANDO

MANRIQUE.   ¿Qué haré?
Turbado estoy . . . ¿Llamaré?
Tal vez orando estará.
Acaso en este momento
llora cuitada por mí.   20
Nadie viene . . . por aquí . . .
es la iglesia del convento.

FERRANDO. Tarde llegamos, Guzmán.

GUZMÁN.   ¿Quién es este hombre?

FERRANDO.   No sé.

(*Las religiosas cantarán dentro un responso; el canto no
   cesará hasta un momento después de la concluída de la
   jornada.*)

GUZMÁN.   ¿Oyes el canto?

FERRANDO.   Sí, a fe.

5 GUZMÁN.   En la ceremonia están.

MANRIQUE.   ¿Qué escucho? . . . ¡Cielos!   Es ella . . .
             (*Mirando a la puerta de la iglesia.*)
             Allí está bañada en llanto,
             junto al altar sacrosanto,
10   y con su dolor más bella.

GUZMÁN.   ¿No es ésa la iglesia?

FERRANDO.   Vamos.

MANRIQUE.   Ya se acercan hacia aquí.

FERRANDO.   Espérate.

GUZMÁN.   ¿Vienen?

FERRANDO.   Sí.

MANRIQUE.   No; que no me encuentre . . . huyamos.

15 (*Quiere huír, pero deteniéndose de pronto se apoya vacilando
    en la reja del locutorio.   Leonor, Jimena y el séquito
    salen de la iglesia y se dirigen a la puerta del claustro;
    pero al pasar al lado de Manrique, éste alza la visera,
    y Leonor, reconociéndole, cae desmayada a sus pies.
20 Las religiosas aparecen en el locutorio llevando velas
    encendidas.*)

GUZMÁN.   Esta es la **ocasión** . . . valor.

LEONOR.   ¿Quién es aquél?   Mi deseo (*A Jimena*)
             me engaña . . . ¡Sí, es él!

JIMENA.   ¡Qué veo!

LEONOR.   ¡Ah! ¡Manrique! . . .

25 GUZMÁN, FERRANDO.   ¡El trovador!   (*Huyen.*)

JORNADA TERCERA

LA GITANA

Interior de una cabaña; Azucena estará sentada cerca de **una** noguera; Manrique a su lado de pie.

ESCENA PRIMERA

Manrique y Azucena

Azucena, *canta.*   Bramando está el pueblo indómito,
　　　　　　　de la hoguera en derredor;
　　　　　　　al ver ya cerca la víctima,
　　　　　　　gritos lanza de furor.
　　　　　　　Allí viene; el rostro pálido,　　　　　　**5**
　　　　　　　sus miradas de terror,
　　　　　　　brillan de la llama trémula
　　　　　　　al siniestro resplandor.

Manrique.   ¡Qué triste es esa canción!

Azucena.   Tú no conoces esa historia, aunque nadie 10 mejor que tú pudiera saberla.

Manrique.   ¿Yo? . . .

Azucena.   Te separaste tan niño de mi lado ¡ingrato! Abandonaste a tu madre por seguir a un desconocido . . .

Manrique.   A don Diego de Haro, señor de Vizcaya. 15

Azucena.   Pero que no te amaba tanto como yo.

Manrique.   Mi objeto era el de haceros feliz. Las montañas de Vizcaya no podían suministrar a mi ambición recursos para elevarme a la altura de mis ilusiones. Seguí a don Diego hasta Zaragoza, porque se decidió a prote- 20

germe, y yo decía para mí: «Algún día sacaré a mi madre
de la miseria»; pero vos no lo habéis querido.

AZUCENA.   No, yo soy feliz; yo no ambiciono alcázares
dorados; tengo bastante con mi libertad y con las mon-
5 tañas donde vivieron siempre nuestros padres.

MANRIQUE.   ¡Siempre!

AZUCENA.   Pero, hijo mío, la pobreza tiene muchos
inconvenientes, y tu familia los ha experimentado muy
terribles.

10   MANRIQUE.   ¿Mi familia?

AZUCENA.   Nada me has preguntado nunca acerca de
ella.

MANRIQUE.   No me he atrevido . . . no sé por qué se
me ha figurado que me habíais de contar alguna cosa
15 horrible.

AZUCENA.   ¡Tienes razón, una cosa horrible! . . . Yo,
para recordarlo, no podría menos de estremecerme . . .
¿Ves esa hoguera?   ¿Sabes tú lo que significa esa hoguera?
Yo no puedo mirarla sin que se me despegue la carne de los
20 huesos, y no puedo apartarla de mí, porque el frío de la
noche hiela todo mi cuerpo.

MANRIQUE.   Pero, ¿por qué os habéis querido fijar en
este sitio?

AZUCENA.   Porque este sitio tiene para mí recuerdos muy
25 profundos . . . desde aquí se descubren los muros de Zaragoza . . . éste era, éste, el sitio donde murió.

MANRIQUE.   ¿Quién, madre mía?

AZUCENA.   Es verdad, tú no lo sabes, y sin embargo era
mi madre, mi pobre madre, que nunca había hecho daño a
30 nadie.   ¡Pero dieron en decir que era bruja! . . .

MANRIQUE.   ¿Vuestra madre?

AZUCENA.   Sí; la acusaron de haber hecho mal de ojo

al hijo de un caballero, de un Conde.   No hubo compasión
para ella, y la condenaron a ser quemada viva.

Manrique.   ¡Qué horror! . . . Bárbaros . . . ¿Y lo con-
sumaron?

Azucena.   En este mismo sitio, donde está esa ho- 5
guera.

Manrique.   ¡Gran Dios!

Azucena.   Yo la seguía de lejos, llorando mucho; como
quien llora por una madre.   Llevaba yo a mi hijo en los
brazos, a ti; mi madre volvió tres veces la cabeza para mi- 10
rarme y bendecirme.   La última vez cerca del suplicio . . .
allí me miró haciendo un gesto espantoso, y con una voz
ahogada y ronca me gritó: «¡Véngame!»   Aquella palabra
. . . no la puedo olvidar . . . aquella palabra se grabó en
mi alma, en todos mis sentidos, y yo juré vengarla de una 15
manera horrorosa.

Manrique.   Sí, ¿y la vengasteis . . . es verdad?   Tendría un placer en saberlo.   Mil crímenes, mil muertes no
eran bastantes.

Azucena.   Pocos días después tuve ocasión de conse- 20
guirlo.   Yo no hacía otra cosa que rodear la casa del
Conde que había sido causa de la muerte de aquella desgraciada . . . un día logré introducirme en ella y le arrebaté
al niño, y dos minutos después ya estaba yo en este sitio,
donde tenía preparada la hoguera.   25

Manrique.   ¿Y tuvisteis valor?

Azucena.   El inocente lloraba y parecía querer implorar
mi compasión . . . Tal vez me acariciaba, . . . Dios mío,
yo no tuve valor . . . yo también era madre . . . (Llorando.)

Manrique.   ¿Y en fin?   30

Azucena.   Yo no había olvidado, sin embargo, a la
infeliz que me había dado el ser; pero los lamentos de

aquella infeliz criatura me desarmaban, me rasgaban el
corazón.   Esta lucha era superior a mis fuerzas, y bien
pronto se apoderó de mí una convulsión violenta . . . yo
oía confusamente los chillidos del niño y aquel grito que me
5 decía: «¡Véngame!»   Pero de repente, y como en un
sueño, se me puso delante de los ojos aquel suplicio, los
soldados con sus picas, mi madre desgreñada y pálida, que
con paso trémulo caminaba despacio, muy despacio, hacia
la muerte, y que volvía la cara para mirarme, para decirme:
10 «¡Véngame!»   Un furor desesperado se apoderó de mí, y
desatentada y frenética, tendí las manos buscando una
víctima; la encontré, la así con una fuerza convulsiva, y la
precipité entre las llamas.   Sus gritos horrorosos ya no
sirvieron sino para sacarme de aquel enajenamiento mortal
15 . . . abrí los ojos, los tendí a todas partes . . . la hoguera
consumía una víctima, y el hijo del Conde estaba allí.   (*Se-
ñalando a la izquierda.*)

     MANRIQUE.   ¡Desgraciada!

     AZUCENA.   Había quemado a mi hijo.

20   MANRIQUE.   ¡Vuestro hijo!   ¿Pues quién soy yo, quién?
. . . Todo lo veo.

     AZUCENA.   ¿Te he dicho que había quemado a mi
hijo? . . . No . . . he querido burlarme de tu ambición . . .
tú eres mi hijo; el del Conde, sí, el del Conde era el que
25 abrasaban las llamas . . . ¿No quieres tú que yo sea tu
madre?

     MANRIQUE.   Perdonad.

     AZUCENA.   ¡Ingrato!   ¿No te he prodigado una ternura
sin límites?

30   MANRIQUE.   Perdonad; merezco vuestras reconvenciones.
Mil veces dentro en mi corazón, os lo confieso, he deseado
que no fueseis mi madre, no porque no os quiera con toda

el alma, sino porque ambiciono un nombre, un nombre que me falta. Mil veces digo para mí, si yo fuese un Lanuza, un Urrea . . .

AZUCENA. ¡Un Artal! . . .

MANRIQUE. No, un Artal, no, es apellido que detesto; primero el hijo de un confeso. Pero, a pesar de mi ambición, os amo, madre mía; no . . . yo no quiero sino ser vuestro hijo. ¿Qué me importa un nombre? Mi corazón es tan grande como el de un rey . . . ¿Qué noble ha doblado nunca mi brazo?

AZUCENA. Sí, sí. ¿A qué ambicionar más?

MANRIQUE. Aún no viene. (*Llegándose a la puerta.*)

AZUCENA. Pero sin embargo, estás muy triste . . . ¿Te devora algún pesar secreto? ¿Sientes tú haber nacido de unos padres tan humildes? No temas, yo no diré a nadie que soy tu madre, me contentaré con decírmelo a mí propia, y en vanagloriarme interiormente. ¿Estás contento?

ESCENA II

LOS MISMOS y RUIZ

MANRIQUE. Ahí está.

AZUCENA. ¿Esperabas a ese hombre?

MANRIQUE. Sí, madre.

AZUCENA. No temas, no me verá. (*Se aparta a un lado.*)

RUIZ. ¿Estáis pronto?

MANRIQUE. ¿Eres tú, Ruiz?

RUIZ. El mismo; todo está preparado.

MANRIQUE. Marchemos.

ESCENA III

AZUCENA

AZUCENA. Se ha ido sin decirme nada, sin mirarme siquiera. ¡Ingrato! No parece sino que conoce mi secreto
... ¡Ah! Que no sepa nunca ... Si yo le dijera: «Tú
no eres mi hijo, tu familia lleva un nombre esclarecido, no
5 me perteneces ...» me despreciaría y me dejaría abandonada en la vejez. Estuvo en poco que no se lo descubriera ... ¡Ah! No, no lo sabrá nunca. ¿Por qué le
perdoné la vida sino para que fuera mi hijo?

ESCENA IV

*El teatro representa una celda; en el fondo, a la izquierda, habrá
un reclinatorio, en el cual estará arrodillada* LEONOR; *se
ve un crucifijo pendiente de la pared delante del reclinatorio*

LEONOR.   Ya el sacrificio que odié
10   mi labio trémulo y frío
    consumó ... perdón, Dios mío,
    perdona si te ultrajé.
    Llorar triste y suspirar
    sólo puedo; ay, Señor, no ...
15   tuya no debo ser yo,
    recházame de tu altar.
    Los votos que allí te hiciera
    fueron votos de dolor,
    arrancados al temor
20   de un alma tierna y sincera.
    Cuando en el ara fatal
    eterna fe te juraba
    mi mente ¡ay Dios! se extasiaba

en la imagen de un mortal.
Imagen que vive en mí,
hermosa, pura y constante . . .
No, tu poder no es bastante
a separarla de aquí.   5
Perdona, Dios de bondad;
perdona, sé que te ofendo;
vibra tu rayo tremendo,
y confunde mi impiedad.
Mas no puedo en mi inquietud   10
arrancar del corazón
esta violenta pasión,
que es mayor que mi virtud.
Tiempos en que amor solía
calmar piadoso mi afán,   15
¿qué os hicisteis?   ¿Dónde están
vuestra gloria y mi alegría?
¿De amor el suspiro tierno
y aquel placer sin igual,
tan breve para mi mal   20
aunque en mi memoria eterno?
Ya pasó . . . mi juventud
los tiranos marchitaron,
y a mi vida prepararon
junto al altar el ataúd.   25
Ilusiones engañosas,
livianas como el placer,
no aumentéis mi padecer . . .
¡Sois por mi mal tan hermosas!

(*Una voz, acompañada de un laúd, canta las siguientes*   30
estrofas después de un breve preludio, Leonor mani-
fiesta entre tanto la mayor agitación.)

Camina orillas del Ebro
caballero lidiador,
puesta en la cuja la lanza
que mil contrarios venció.
5   Despierta, Leonor,
                Leonor.

Buscando viene anhelante
a la prenda de su amor,
a su pesar consagrada
10   en los altares de Dios.
          Despierta, Leonor,
                Leonor.

LEONOR.   Sueños, dejadme gozar . . .
           no hay duda . . . él es . . . Trovador . . .
15   (*Viendo entrar a* MANRIQUE.)
             ¿será posible? . . .
MANRIQUE.   ¡Leonor!
LEONOR.   ¡Gran Dios! Ya puedo espirar.

ESCENA V

MANRIQUE *y* LEONOR

MANRIQUE. Te encuentro al fin, Leonor.
LEONOR.   Huye; ¿qué has hecho?
20   MANRIQUE. Vengo a salvarte, a quebrantar osado
           los grillos que te oprimen, a estrecharte
           en mi seno, de amor enajenado.
           ¿Es verdad, Leonor? Dime si es cierto
           que te estrecho en mis brazos, que respiras
25   para colmar hermosa mi esperanza,
           y que extasiada de placer me miras.

LEONOR.	¡Manrique!
MANRIQUE.	Sí; tu amante que te adora

más que nunca feliz.

LEONOR.   ¡Calla! . . .

MANRIQUE.   No temas;
todo en silencio está como el sepulcro.

LEONOR.   ¡Ay! Ojalá que en él feliz durmiera
antes que delincuente profanara,   5
torpe esposa de Dios, su santo velo.

MANRIQUE. ¡Su esposa tú! . . . Jamás.

LEONOR.   Yo desdichada,
Yo no ofendiera con mi llanto al cielo.

MANRIQUE. No, Leonor; tus votos indiscretos
no complacen a Dios; ellos le ultrajan.   10
¿Por qué temes? Huyamos; nadie puede
separarme de ti . . . ¿Tiemblas? . . . ¿Va-
cilas?

LEONOR.   ¡Sí; Manrique! . . . ¡Manrique! . . . Ya no
puede
ser tuya esta infeliz; nunca . . . mi vida,
aunque llena de horror y de amargura,   15
ya consagrada está, y eternamente,
en las aras de un Dios omnipotente.
Peligroso mortal, no más te goces
envenenando ufano mi existencia;
demasiado sufrí, déjame al menos   20
que triste muera aquí con mi inocencia.

MANRIQUE. ¡Esto aguardaba yo! ¡Cuando creía
que más que nunca enamorada y tierna
me esperabas ansiosa, así te encuentro,
sorda a mi ruego y a mis halagos fría!   25
¿Y tiemblas, di, de abandonar las aras

donde tu puro afecto y tu hermosura
sacrificaste a Dios . . .?   ¡Pues qué! .
   ¿No fueras
antes conmigo que con Dios perjura?
Sí; en una noche . . .

LEONOR.   ¡Por piedad!
MANRIQUE.   ¿Te acuerdas?

5   En una noche plácida y tranquila . . .
¡Qué recuerdo, Leonor! Nunca se aparta
de aquí, del corazón; la luna hería
con moribunda luz tu frente hermosa,
y de la noche el aura silenciosa
10   nuestros suspiros tiernos confundía.
«Nadie cual yo te amó,» mil y mil veces
me dijiste falaz: «Nadie en el mundo
como yo puede amar»; y yo, insensato,
fiaba en tu promesa seductora,
15   y feliz y extasiado en tu hermosura,
con mi esperanza allí me halló la aurora.
¡Quimérica esperanza! ¡Quién diría
que la que tanto amor así juraba,
juramento y amor olvidaría!

20 LEONOR.   Ten de mí compasión; si por ti tiemblo,
por ti y por mi virtud, ¿no es harto triunfo?
Sí; yo te adoro aún; aquí, en mi pecho,
como un raudal de abrasadora llama
que mi vida consume, eternos viven
25   tus recuerdos de amor; aquí, y por siempre,
por siempre aquí estarán, que en vano
    quiero,
bañada en lloro, ante el altar postrada,
mi pasión criminal lanzar del pecho.

No encones más mi endurecida llaga;
si aun amas á Leonor, huye, te ruego;
libértame de ti.

MANRIQUE.   ¡Que huya me dices!...
¡Yo, que sé que me amas!

LEONOR.   No, no creas...
no puedo amarte yo... si te lo he dicho,   5
si perjuro mi labio te enganaba,
¿lo pudiste creer?... Yo lo decía,
pero mi corazón... te idolatraba.

MANRIQUE. ¡Encanto celestial! Tanta ventura
puedo apenas creer.

LEONOR.   ¿Me compadeces?... 10

MANRIQUE. Ese llanto, Leonor, no me lo ocultes;
deja que ansioso en mi delirio goce
un momento de amor; injusto he sido,
injusto para ti... vuelve tus ojos,
y mírame risueño y sin enojos.   15
¿Es verdad que en el mundo no hay delicia
para ti sin mi amor?

LEONOR.   ¿Lo dudas?...

MANRIQUE.   Vamos...
pronto huyamos de aquí.

LEONOR.   ¡Si ver pudieses
la lucha horrenda que mi pecho abriga!
¿Qué pretendes de mí? ¿Que infame, im-
     pura,   20
abandone el altar, y que te siga
amante tierna a mi deber perjura?
Mírame aquí a tus pies, aquí te imploro
que del seno me arranques de la dicha;
tus brazos son mi altar, seré tu esposa   25

y tu esclava seré; pronto, un momento,
un momento pudiera descubrirnos
y te perdiera entonces.

MANRIQUE.   ¡Ángel mío!

LEONOR.   Huyamos, sí . . . ¿No ves allí en el claustro
una sombra? . . . ¡Gran Dios!

MANRIQUE.   No hay nadie, nadie . . .
fantástica ilusión.

LEONOR.   ¡Ven, no te alejes;
tengo un miedo! No, no . . . te han visto
. . . vete . . .
pronto, vete por Dios . . . mira el abismo
bajo mis pies abierto; no pretendas
precipitarme en él.

MANRIQUE.   Leonor, respira,
respira por piedad; yo te prometo
respetar tu virtud y tu ternura.
No alienta; sus sentidos trastornados . . .
me abandonan sus brazos . . . no, yo siento
su seno palpitar . . . Leonor, ya es tiempo
de huír de esta mansión, pero conmigo
vendrás también. Mi amor, mis esperan-
zas,
tú para mí eres todo, ángel hermoso.
¿No me juraste amarme eternamente
por el Dios que gobierna el firmamento?
Ven a cumplirme, ven, tu juramento.

ESCENA VI

Calle corta; a la izquierda se ve la fachada de una iglesia

RUIZ *y un momento después* UN SOLDADO

RUIZ. ¡Es mucho tardar! Me temo que esta dilación
... ¡Oiga! ¿Quién va?

SOLDADO. ¿Ruiz?

RUIZ. El mismo. ¡Ah! ¿Eres tú? ¿Ha llegado la
gente?   5

SOLDADO. Ya está cerca del muro, la puerta está guar-
dada.

RUIZ. ¿Cómo! ¡Alguno nos ha vendido tal vez?

SOLDADO. El Rey ha salido esta noche de la ciudad.

RUIZ. Algo ha sabido.   10

SOLDADO. Sin duda. ¿Con cuántos hombres podemos
contar dentro de la ciudad?

RUIZ. Apenas llegan a ciento.

SOLDADO. Bastan para atacar la puerta si nos ayudan
los de fuera.   15

RUIZ. Dices bien.

SOLDADO. Vamos.

RUIZ. (¿Y don Manrique?)

SOLDADO. ¿Temes?

RUIZ. ¡Yo!... No; pero queda mi señor todavía en el   20
convento.

SOLDADO. ¡Diablo! Ya... pero es cosa de un momento; un ataque imprevisto por la espalda y por la frente
... después ya no corre peligro.

RUIZ. Vamos.   25

ESCENA VII

LEONOR y MANRIQUE

MANRIQUE.   Alienta; en salvo estamos.

LEONOR.   ¡Ay!

MANRIQUE.   Ya vuelve . . .

LEONOR.   ¿Dónde estoy?

5   MANRIQUE.   En mis brazos, Leonor. (*Se oye dentro ruido lejano de armas.*)

LEONOR.   ¿Qué rumor es ése? . . .

MANRIQUE.   ¡Cielos! . . . Tal vez . . .

LEONOR.   ¿Adónde me llevas? Suéltame por Dios . .
10 ¿no ves que te pierdes?

MANRIQUE.   ¿Qué me importa, si no te pierdo a ti?

LEONOR.   Pero ¿qué significa ese ruido?

MANRIQUE.   No es nada, nada.

LEONOR.   Ese resplandor . . . esas luces que se divisan
15 a lo lejos.

MANRIQUE.   Es verdad, pero no temas, estoy a tu lado . . .

LEONOR.   ¿No oyes estruendo de armas?

MANRIQUE.   Sí, confusamente se percibe.

LEONOR.   ¿Si vienen en nuestra busca?

20   MANRIQUE.   No puede ser.

LEONOR.   Pero esos hombres que se acercan . . . he distinguido los penachos.

MANRIQUE.   No temas.

LEONOR.   ¿Qué van a hacer contigo? Huye, huye por
25 Dios.

MANRIQUE.   Si fueran mis soldados . . .

LEONOR.   Vete; se acercan . . . ¿No lo ves? ¡Es el Conde!

MANRIQUE.   Don Nuño. ¡Es verdad . . .! ¡Gran Dios!
¿Y he de perderte? (*Se oye tocar a rebato.*)

LEONOR.   ¿Escuchas?

MANRIQUE.   Sí; ésta es la señal.

DENTRO.   Traición, traición.   5

MANRIQUE.   Estamos libres. (*Desenvainando la espada.*)

DENTRO.   ¡Traición!

LEONOR.   ¿Qué haces?

ESCENA VIII

En este momento salen por la izquierda DON NUÑO, DON
    GUILLÉN, DON LOPE *y* SOLDADOS *con luces, y por la
    derecha* RUIZ *y varios soldados que se colocan al lado de*
    DON MANRIQUE, *éste defenderá a* LEONOR, *ocultándose
    entre los suyos y peleando con* DON GUILLÉN *y* DON
    NUÑO; *entre tanto no cesarán de tocar a rebato.*

MANRIQUE.   Aquí, mis valientes.

NUÑO.   Él es.   10

GUILLÉN.   Traidor.

LEONOR.   Piedad, piedad.

JORNADA CUARTA

LA REVELACIÓN

El teatro representa un campamento con varias tiendas; algunos soldados se pasean por el fondo.

ESCENA PRIMERA

Don Nuño, Don Guillén, y Jimeno

NUÑO.	Bien venido, don Guillén;
	ya cuidadoso esperaba
	vuestra vuelta . . . ¿Qué habéis visto?
GUILLÉN.	Como mandasteis, al alba
	salí a explorar todo el campo
	y me interné en la montaña.
NUÑO.	¿No encontrásteis los rebeldes?
GUILLÉN.	Encerrados nos aguardan
	en Castellar.
NUÑO.	¿Nos esperan!
GUILLÉN.	A tanto llega su audacia.
NUÑO.	¿Sabéis si está don Manrique?
GUILLÉN.	Don Manrique es quien los manda.
NUÑO.	Albricias, don Guillén, hoy
	recobraréis vuestra hermana.
GUILLÉN.	No sabéis cuál lo deseo,
	por lavar la torpe mancha
	que esa pérfida ha estampado
	en el blasón de mis armas.
	Allí con su seductor . . .

46

no quiero pensarlo . . . ¡infamia
inaudita! Y está allí . . .
¿y yo no voy a arrancarla
con el corazón villano
el torpe amor que la abrasa?   5

NUÑO.   Sosegaos.

GUILLÉN.   No; no sosiega
el que así de su prosapia
ve el blasón envilecido . . .
Honrado nací en mi casa,
y a la tumba de mis padres   10
bajará mi honor sin mancha.

NUÑO.   Sin mancha, yo os lo prometo.

GUILLÉN.   ¡El traidor!   ¡Que se escapara
la noche que en Zaragoza
entre el rumor de las armas,   15
la arrancó del claustro!

NUÑO.   En vano
perseguirle procuraba;
se me ocultó entre los suyos . . .

GUILLÉN.   Que bien pagaron su audacia.

NUÑO.   Que levanten esas tiendas   20
para ponernos en marcha
al instante . . . ¡Nos esperan!
¿Tienen mucha gente?

GUILLÉN.   Basta
para guardar el castillo
la que he visto . . . y bien armada.   25
Catalanes son los más,
y toda gente lozana.

NUÑO.   No importa; de Zaragoza
hoy nos llegaron cien lanzas

y seiscientos ballesteros,
que nos hacían gran falta.
No se escaparán si Dios
quiere ayudar nuestra causa.

5 ¿Qué ruido es ése?
(*Se oye dentro rumor y algazara.*) shouting

ESCENA II

Los Mismos y Guzmán

GUZMÁN.   ¿Señor?
NUÑO.   ¿Qué motiva esa algazara?
         ¿Qué traéis?
GUZMÁN.   Vuestros soldados,
         que por el campo rondaban,
10   han preso a una bruja.
NUÑO.   ¿Qué?
GUZMÁN.   Sí, Señor, a una gitana.
NUÑO.   ¿Por qué motivo?
GUZMÁN.   Sospechan,
         al ver que de huír trataba
         cuando la vieron, que venga
15   a espiar.
NUÑO.   ¿Y por qué arman
         ese alboroto?   ¿Qué es eso?
              (*Mirando adentro.*)
GUZMÁN. ¿No veis como la maltratan?
NUÑO.   Traédmela, y que ninguno
20   sea atrevido a tocarla.

ESCENA III

Los Mismos y Azucena, *conducida por* Soldados y
con las manos atadas

AZUCENA.   Defendedme de esos hombres
que sin compasión me matan . . .
defendedme . . .

NUÑO.   Nada temas;
nadie te ofende.

AZUCENA.   ¿Qué causa
he dado para que así   5
me maltraten?

GUILLÉN.   ¡Desgraciada!

NUÑO.   ¿A dónde ibas?

AZUCENA.   No sé . . .
por el mundo; una gitana
por todas partes camina,
y todo el mundo es su casa.   10

NUÑO.   ¿No estuvisteis en Aragón
nunca?

AZUCENA.   Jamás.

JIMENO.   ¡Esa cara!

NUÑO.   ¿Vienes de Castilla?

AZUCENA.   No;
vengo, Señor, de Vizcaya,
que la luz primera vi   15
en sus áridas montañas.
Por largo tiempo he vivido
en sus crestas elevadas,
donde, pobre y miserable,
por dichosa me juzgaba.   20
Un hijo solo tenía,

y me dejó abandonada;
voy por el mundo a buscarle,
que no tengo otra esperanza.
¡Y le quiero tanto!   El es
el consuelo de mi alma,
Señor, y el único apoyo
de mi vejez desdichada.
¡Ay!   Sí . . . Dejadme, por Dios,
que a buscar a mi hijo vaya,
y a esos hombres tan crueles
decid que mal no me hagan.

GUZMÁN.   Me hace sospechar, don Nuño.
NUÑO.   Teme, mujer, si me engañas.
AZUCENA.   ¿Queréis que os lo jure?
NUÑO.   No;
mas ten cuenta que te habla
el Conde de Luna.

AZUCENA.   ¡Vos!   (*Sobresaltada.*)
¿Sois vos?   (¡Gran Dios!)
JIMENO.   ¡Esa cara!
Esa turbación . . .

AZUCENA.   Dejadme . . .
permitidme que me vaya . . .
JIMENO.   ¿Irte? . . . Don Nuño, prendedla.
AZUCENA.   Por piedad, no . . . ¡Qué!   ¿No bastan
los golpes de esos impíos,
que de dolor me traspasan?
NUÑO.   Que la suelten.
JIMENO.   No, don Nuño.
NUÑO.   Está loca.
JIMENO.   Esa gitana
es la misma que a don Juan,

vuestro hermano . . .

NUÑO.   ¿Qué oigo!

AZUCENA.   ¡Calla!

No se lo digas, cruel,
que si lo sabe me mata.

NUÑO.   Atadla bien.

AZUCENA.   Por favor,
que esas cuerdas me quebrantan   5
las manos . . . ¡Manrique, hijo,
ven a librarme!

GUILLÉN.   ¿Qué habla?

AZUCENA. Ven, que llevan a morir
a tu madre.

NUÑO.   ¡Tú, inhumana,
tú fuiste!

AZUCENA.   No me hagáis mal,   10
os lo pido arrodillada . . .
Tened compasión de mí.

NUÑO.   Llevadla de aquí . . . Apartadla
de mi vista.

AZUCENA.   No fuí yo;
ved, don Nuño, que os engañan.   15

ESCENA IV

LOS MISMOS, *menos* AZUCENA *y los* SOLDADOS

NUÑO.   Tomad, don Lope, cien hombres,
y a Zaragoza llevadla;
vos de ella me respondéis
con vuestra cabeza.

GUILLÉN.   ¿Marcha
el campo?   20

NUÑO. Sí, a Castellar.
¡Es hijo de una gitana! . . .
¿No lo oísteis, don Guillén,
que a Manrique demandaba?
GUILLÉN. Sí, sí . . .
NUÑO. Pronto a Castellar,
5 que esta tardanza me mata . . .
yo os prometo no dejar
una piedra en sus murallas.

ESCENA V

Habitación de Leonor en la torre de Castellar, con dos puertas laterales.

LEONOR y RUIZ

RUIZ. ¿Qué mandarme tenéis?
LEONOR. ¿Y don Manrique?
RUIZ. Aun reposando está.
10 (*Leonor hace una seña, y se retira Ruiz.*)
LEONOR. Duerme tranquilo,
mientras rugiendo atroz sobre tu frente
rueda la tempestad, mientras llorosa
tu amante criminal tiembla azorada.
¿Cuál es mi suerte? ¡Oh Dios! ¿Por qué
tus aras
15 ilusa abandoné? La paz dichosa
que allí bajo las bóvedas sombrías
feliz gozaba tu perjura esposa . . .
¿Esposa yo de Dios? No puedo serlo;
jamás, nunca lo fuí . . . tengo un amante
20 que me adora sin fin, y yo le adoro,
que no puedo olvidar sólo un instante.

Y con eternos vínculos el crimen
a su suerte me unió . . . nudo funesto,
nudo de maldición que allá en su **trono**
enojado maldice un Dios terrible.

ESCENA VI

LEONOR y MANRIQUE

LEONOR.	¡Manrique! ¿Eres tú?
MANRIQUE.	Sí, Leonor querida. 5
LEONOR.	¿Qué tienes?
MANRIQUE.	Yo no sé . . .
LEONOR.	¿Por qué temblando

tu mano está? ¿Qué sientes?

MANRIQUE.	Nada, nada.
LEONOR.	En vano me lo ocultas.
MANRIQUE.	Nada siento.

Estoy bueno . . . ¿Qué dices? ¿Que tem-
    blaba
mi mano? . . . No . . . ilusión . . . nunca
    he temblado.   10
¿Ves cómo estoy tranquilo?

LEONOR.	De otra suerte

me mirabas ayer . . . tu calma fría
es la horrorosa calma de la muerte.
¿Pero qué causa, dime, tus pesares?

MANRIQUE.	¿Quieres que te lo diga?
LEONOR.	Sí, lo quiero. 15
MANRIQUE.	Ningún temor real; nada que pueda

hacerte a ti infeliz ni entristecerte
causa mi turbación . . . mi madre un día
me contó cierta historia, triste, horrible,

que no puedes saber, y desde entonces
como un espectro me persigue eterna
una imagen atroz . . . no lo creyeras,
y a contártelo yo, te estremecieras.

5   LEONOR.   Pero . . .

     MANRIQUE.   No temas, no; tan sólo ha sido
un sueño, una ilusión, pero horrorosa . .
un sudor frío aún por mi frente corre.
Soñaba yo que en silenciosa noche,
cerca de la laguna que el pie besa
10 del alto Castellar, contigo estaba.
Todo en calma yacía; algún gemido
melancólico y triste
sólo llegaba lúgubre a mi oído.
Trémulo como el viento, en la laguna
15 triste brillaba el resplandor siniestro
de amarillenta luna.
Sentado allí en su orilla y a tu lado
pulsaba yo el laúd, y en dulce trova
tu belleza y mi amor tierno cantaba,
20 y en triste melodía
el viento, que en las aguas murmuraba,
mi canto y tus suspiros repetía.
Mas súbito, azaroso, de las aguas
entre el turbio vapor, cruzó luciente
25 relámpago de luz que hirió un instante
con brillo melancólico tu frente.
Yo vi un espectro que en la opuesta orilla
como ilusión fantástica vagaba
con paso misterioso
30 y un quejido lanzando lastimoso
que el nocturno silencio interrumpía,

ya triste nos miraba,
ya con rostro infernal se sonreía.
De pronto el huracán cien y cien truenos
retemblando sacude,
y mil rayos cruzaron,   5
y el suelo y las montañas
a su estampido horrísono temblaron.
Y envuelta en humo la feroz fantasma,
huyó, los brazos hacia mí tendiendo.
«¡Véngame!» dijo, y se lanzó a las nubes; 10
«¡Véngame!» por los aires repitiendo.
Frío con el pavor tendí los brazos
a donde estabas tú . . . tú ya no estabas,
y sólo hallé a mi lado
un esqueleto, y al tocarle osado,   15
en polvo se deshizo, que violento
llevóse al punto retronando el viento.
Yo desperté azorado; mi cabeza
hecha estaba un volcán, turbios mis ojos;
mas logro verte al fin, tierna, apacible,   20
y tu sonrisa calma mis enojos.

LEONOR.   ¿Y un sueño solamente
te atemoriza así?

MANRIQUE.   No; ya no tiemblo,
ya todo lo olvidé . . . mira, esta noche
partiremos al fin de este castillo . . .   25
no quiero estar aquí.

LEONOR.   Temes acaso . . .

MANRIQUE.   Tiemblo perderte; numerosa hueste
del rey usurpador viene a sitiarnos,
y este castillo es débil con extremo;
nada temo por mí, mas por ti temo.   30

ESCENA VII

Los Mismos y Ruiz

MANRIQUE.   ¿Qué me vienes a anunciar?
RUIZ.   Señor, ya el Conde marchando
    con la gente de su bando
    se dirige a Castellar.
5   Todo lo lleva a cuchillo
    y por los montes avanza,
    sin duda con la esperanza
    de poner cerco al castillo.
MANRIQUE.   No osarán, que son traidores,
10   y es cobarde la traición.
RUIZ.   Estas las noticias son
    que traen nuestros corredores.
    Demás, por lo que advirtieron,
    añaden que esta mañana
15   han cogido una gitana
    que venir hacia acá vieron.
MANRIQUE.   ¿Una gitana? . . . ¿Y quién era?
RUIZ.   ¿Quién puede saberlo . . . pues . . .?
MANRIQUE.   ¡Cielos!
RUIZ.   Vieja dicen que es,
20   con sus puntas de hechicera.
MANRIQUE.   (¡Es ella! . . . ¿Y podré salvarla? . . .)
    Avisa que a partir vamos . . .
    ármense todos . . . (Corramos
    a lo menos a vengarla.)
25 LEONOR.   ¿Qué dices? . . . Partir . . .
MANRIQUE.   Sí, sí . . .
    ¿qué te detiene?
RUIZ.   Señor . . .

MANRIQUE.	Pronto, o teme mi furor.
LEONOR.	¿Y me dejarás aquí?

ESCENA VIII

MANRIQUE y LEONOR

MANRIQUE.   Un secreto, Leonor . . .
sé que vas a despreciarme;
ya era tiempo . . . esa gitana,   5
ésa, Leonor, es mi madre.

LEONOR.   ¡Tu madre!

MANRIQUE.   Llora si quieres;
maldíceme porque infame
uní tu orgullosa cuna
con mi cuna miserable.   10
Pero déjame que vaya
a salvarla si no es tarde;
si ha muerto, la vengaré
de su asesino cobarde.

LEONOR.   ¡Eso me faltaba! . . .

MANRIQUE.   Sí;   15
yo no debía engañarte
por más tiempo . . . Vete, vete;
soy un hombre despreciable.

LEONOR.   Nunca para mí.

MANRIQUE.   Eres noble,
y yo, ¿quién soy? Ya lo sabes.   20
Vete a encerrar con tu orgullo
bajo el techo de tus padres.

LEONOR.   ¡Con mi orgullo! Tú te gozas,
cruel, en atormentarme.
Ten piedad . . .   25

MANRIQUE.   Pero soy libre
y fuerte para vengarme . . .
Y me vengaré . . . ¿Lo dudas?

LEONOR.   Si necesitas mi sangre,
aquí la tienes.

MANRIQUE.   ¡Leonor!

5   ¡Qué desgraciada en amarme
has sido!   ¿Por qué, infeliz,
mis amores escuchaste?
¿Y no me aborreces?

LEONOR.   No.

MANRIQUE.   ¿Sabes que presa mi madre

10   espera tal vez la muerte?
¡Venganza infame y cobarde!
¿qué espero yo . . .?

LEONOR.   Ven . . . No vayas . . .
Mira, el corazón me late,
y fatídico me anuncia

15   tu muerte.

MANRIQUE.   ¡Llanto cobarde!
Por una madre morir,
Leonor, es muerte envidiable.
¿Quisieras tú que temblando
viera derramar su sangre,

20   o si salvarla pudiera
por salvarla no lidiase?

LEONOR.   Pues bien, iré yo contigo;
allí correré a abrazarte
entre el horror y el estruendo

25   del fratricido combate.
Yo opondré mi pecho al hierro
que tu vida amenazare;

	sí, y a falta de otro muro,
	muro será mi cadáver.
MANRIQUE.	Ahora te conozco, ahora
	te quiero más.
LEONOR.	Si tú partes,
	iré contigo; la muerte
	a tu lado ha de encontrarme.
MANRIQUE.	Venir tú . . . no; en el castillo
	queda custodia bastante
	para ti . . . ¿Escuchas? Adiós.
	(*Suena un clarín.*)
	El clarín llama al combate.
LEONOR.	Un momento . . .
MANRIQUE.	Ya no puedo
	detenerme ni un instante.

5

10

ESCENA IX

LEONOR

LEONOR. Manrique, espera . . . Partió
sin escucharme . . . ¡Inhumano!
¿Por qué con delirio insano
mi corazón le adoró?
¿Y es éste tu amor? ¡Ay! Ven . . .
No burles así tu suerte,
que allí te espera la muerte,
y está en mis brazos tu bien.
Ya no escuchas el clamor
de aquella Leonor querida . . .
        (*Vuelve a sonar el clarín.*)
¡Gran Dios! Protege su vida,
te lo pido por tu amor.

15

20

25

JORNADA QUINTA

EL SUPLICIO

Inmediaciones de Zaragoza; a la izquierda vista de uno de los muros del palacio de la Aljafería, con una ventana cerrada con una fuerte reja.

ESCENA PRIMERA

LEONOR y RUIZ

RUIZ.   Ya estamos en Zaragoza
y es bien entrada la noche;
nadie conoceros puede.

LEONOR.   Ruiz di, ¿No es ésta la torre
5   de la Aljafería?

RUIZ.   Sí.

LEONOR.   ¿Están aquí las prisiones?

RUIZ.   Ahí se suelen custodiar
los que a su rey son traidores.

LEONOR.   ¿Trajiste lo que te dije?

10   RUIZ.   Aquí está;

(Saca un pomo de plata, que entrega a Leonor.)

        por un jarope
que no vale seis cornados ...

LEONOR.   El precio nada te importe.
Toma esa cadena tú.

15   RUIZ.   Judío al fin.

LEONOR.   No te enojes.

RUIZ.   Diez maravedís de plata
me llevó el Iscariote.

60

LEONOR. Vete ya, Ruiz.
RUIZ.   ¿Os quedáis
        sola aquí? No, que me ahorquen
        primero . . .
LEONOR. Quiero estar sola.
RUIZ.   Si os empeñáis . . . Buenas noches.   5

ESCENA II

LEONOR

LEONOR. Esa es la torre; allí está,
        y maldiciendo su suerte
        espera triste la muerte,
        que no está lejos quizá.
        ¡Esas murallas sombrías,   10
        esas rejas y esas puertas,
        al féretro sólo abiertas,
        verán tus últimos días!
        ¿Por qué tan ciega le amé?
        ¡Infeliz! ¿Por qué, Dios mío,   15
        con amante desvarío
        mi vida le consagré?
        Mi amor te perdió, mi amor . . .
        yo mi cariño maldigo,
        pero moriré contigo   20
        con veneno abrasador.
        ¡Si me quisiera escuchar
        el Conde! . . . Si yo lograra
        librarte así, ¿qué importara? . . .
        Sí; voy tu vida a salvar.   25
        A salvarte . . . No te asombre
        si hoy olvido mi desdén.

UNA VOZ, *dentro.*   Hagan bien para hacer bien
                      por el alma de este hombre.
LEONOR.   Ese lúgubre clamor . . .
                      ¿O tal vez lo escuché mal?
5   No, no . . . ¡Ya la hora fatal
                      ha llegado, trovador!
                      Manrique, partamos ya,
                      no perdamos un instante.
DENTRO.   ¡Ay!
10   LEONOR.   Esa voz penetrante . . .
                      ¡Si no fuera tiempo ya!
(*Al querer partir se oye tocar un laúd; un momento después
                      canta dentro Manrique.*)
                      Despacio viene la muerte,
15   que está sorda a mi clamor;
                      para quien morir desea
                      despacio viene, por Dios.
                          ¡Ay! Adiós, Leonor,
                          Leonor.
20   LEONOR.   ¡El es; y desea morir
                      cuando su vida es mi vida!
                      ¡Si así me viera afligida
                      por él al cielo pedir! . . .
MANRIQUE, *dentro.*   No llores si a saber llegas
25   que me matan por traidor,
                      que el amarte es mi delito,
                      y en el amor no hay baldón.
                          ¡Ay! Adiós, Leonor,
                          Leonor.
30   LEONOR.   ¡Que no llore yo, cruel!
                      No sabe cuánto le quiero.
                      ¡Que no llore, cuando muero

en mi juventud por él!
Si a esa reja te asomaras
y a Leonor vieras aquí,
tuvieras piedad de mí
y de mi amor no dudaras.   5
Aquí te buscan mis ojos,
a la luz de las estrellas,
y oigo, a par de tus querellas,
el rumor de los cerrojos.
Y oigo en tu labio mi nombre   10
con mil suspiros también.

UNA VOZ, *dentro*.   Hagan bien para hacer bien
por el alma de este hombre.

LEONOR.   No, no morirás; yo iré
a salvarte; del tirano   15
feroz la sangrienta mano
con mi llanto bañaré.
¿Temes? Leonor te responde
de su cariño y virtud.
¿Aún dudas con inquietud?   20
          (*Apura el pomo.*)
Ya no puedo ser del Conde.

ESCENA III

Cámara del Conde de Luna; éste estará sentado cerca de
una mesa y don Guillén a su lado de pie.

DON NUÑO y DON GUILLÉN

NUÑO   ¿Visteis, don Guillén, al reo?
GUILLÉN.   Dispuesto a morir está.
NUÑO.   ¿Don Lope?   25

GUILLÉN.	Presto vendrá.
NUÑO.	Que al punto llegue deseo.
	No quiero que se dilate
	el suplicio ni un momento;
	cada instante es un tormento
5	que mi paciencia combate.
GUILLÉN.	¿Le avisaré?
NUÑO.	No, esperad ...
	Tardar no puede en venir.
	Para ayudarle a morir
	a un religioso avisad.
10	Y despachaos con presteza.
GUILLÉN.	¡El hijo de una gitana!
NUÑO.	Cierto; diligencia es vana.
GUILLÉN.	¿Mas no dais cuenta a su Alteza?
NUÑO.	¿Para qué? Ocupado está
15	en la guerra de Valencia.
GUILLÉN.	Si no aprueba la sentencia ...
NUÑO.	Yo sé que la aprobará.
	Para aterrar la traición
	puso en mi mano la ley ...
20	mientras aquí no esté el Rey,
	yo soy el Rey de Aragón.
	Mas ... ¿vuestra hermana?
GUILLÉN.	Yo mismo
	nada de su suerte sé;
	pero encontrarla sabré
25	aunque la oculte el abismo.
	Entonces su torpe amor
	lavará con sangre impura ...
	Sólo así el honor se cura,
	y es muy sagrado el honor.

NUÑO.	Ni tanto rigor es bien
	emplear.
GUILLÉN.	Mi ilustre cuna . . .
NUÑO.	Si algo apreciáis al de Luna,
	no la ofendáis, don Guillén.
GUILLÉN.	¿Tenéis algo que mandar?
NUÑO.	Dejadme solo un instante.

5

ESCENA IV

DON NUÑO, *después* DON LOPE

NUÑO.   Leonor, al fin en tu amante
tu desdén voy a vengar.
Al fin en su sangre impura
a saciar voy mi rencor;   10
también yo puedo, Leonor,
gozarme de tu desventura.
Fatal tu hermosura ha sido
para mí, pero fatal
también será a mi rival,   15
a ese rival tan querido.
Tú lo quisiste; por él
mi ternura despreciaste . . .
¿Por qué, Leonor, no me amaste?
Yo no fuera tan cruel.   20
Angel hermoso de amor,
yo como a un Dios te adoraba,
y tus caricias gozaba
un oscuro trovador.
Harto la suerte envidié   25
de un rival afortunado;
harto tiempo despreciado

su ventura contemplé.

¡Ah! Perdonarle quisiera . . .

no soy tan perverso yo.

Pero es mi rival . . . no, no . . .

5   es necesario que muera.

LOPE.   Vuestras órdenes, Señor,

se han cumplido; el reo espera

su sentencia.

NUÑO.   Y bien, que muera,

pues a su Rey fué traidor.

10   ¿A qué aguardáis?

LOPE.   Si así os plugo . . .

NUÑO.   ¿No fué perjuro a la ley

y rebelde con su Rey?

Pues bien, ¿qué espera el verdugo?

Esta noche ha de morir.

15   LOPE.   ¿Esta noche? ¡Pobre mozo!

NUÑO.   Junto al mismo calabozo . . .

¿entendéis?

LOPE.   No hay más decir.

NUÑO.   ¿La bruja? . . .

LOPE.   Con él está

en su misma prisión.

NUÑO.   Bien.

20   LOPE.   ¿Pero ha de morir?

NUÑO.   También.

LOPE.   ¿De qué muerte morirá?

NUÑO.   Como su madre, en la hoguera.

LOPE.   ¿Por último confesó

que a vuestro hermano mató?

25   Maldiga Dios la hechicera.

NUÑO.   Molesto, don Lope, estáis . . .

idos ya.

LOPE.   Señor, si pude
ofenderos . . .

NUÑO.   No lo dude.

LOPE.   Mi deber . . .

NUÑO.   Es que os vayáis.
(*Hace don Lope que se va y vuelve.*)

LOPE.   Perdonad; se me olvidaba   5
con la maldita hechicera.

NUÑO.   ¡Don Lope!

LOPE.   Señor, ahí fuera
una dama os aguardaba.

NUÑO.   ¿Y qué objeto aquí la trae?
¿Dice quién es?

LOPE.   Encubierta   10
llegó, Señor, a la puerta
que al campo de Toro cae.

NUÑO.   Que entre, pues; vos despejad.

LOPE.   El Conde, Señora, espera.

NUÑO.   Vos os podéis quedar fuera,   15
y hasta que os llame aguardad.

ESCENA V

DON NUÑO *y* LEONOR

LEONOR. ¿Me conocéis? (*Descubriéndose.*)

NUÑO.   ¡Desgraciada!
¿Qué buscáis, Leonor, aquí?

LEONOR. ¿Me conocéis, Conde?

NUÑO.   Sí,
por mi mal, desventurada,   20
por mi mal te conocí.

	¿A qué viniste, Leonor?
LEONOR.	Conde, ¿dudarlo queréis?
NUÑO.	¡Todavía el trovador! . . .
LEONOR.	Sé que todo lo podéis,
5	y que peligra mi amor.
	Duélaos, don Nuño, mi mal.
NUÑO.	¿A eso vinistes, ingrata,
	a implorar por un rival?
	¡Por un rival! ¡Insensata!
10	Mal conoces al de Artal.
	No; cuando en mis brazos veo
	la venganza apetecida,
	cuando su sangre deseo . . .
	Imposible . . .
LEONOR.	No lo creo.
15 NUÑO.	Sí, creedlo por mi vida.
	Largo tiempo también yo
	aborrecido imploré
	a quien mis ruegos no oyó,
	y de mi afán se burló;
20	no pienses que lo olvidé.
LEONOR.	¡Ah! Conde, Conde, piedad.
	(Arrodillándose.)
NUÑO.	¿La tuviste tú de mí?
LEONOR.	Por todo un Dios.
NUÑO.	Apartad.
25 LEONOR.	No, no me muevo de aquí.
NUÑO.	Pronto, Leonor, acabad,
LEONOR.	Bien sabéis cuanto le amé;
	mi pasión no se os esconde . . .
NUÑO.	¡Leonor!
LEONOR.	¿Qué he dicho? No sé,

no sé lo que he dicho, Conde;
¿ queréis? . . . le aborreceré.
¡Aborrecerle! ¡Dios mío!
Y aún amaros a vos, sí,
amaros con desvarío   5
os prometo . . . ¡Amor impío,
digno de vos y de mí!

NUÑO.   Es tarde, es tarde, Leonor.
¿ Y yo perdonar pudiera
a tu infame seductor,   10
al hijo de una hechicera ?

LEONOR.   ¿No os apiada mi dolor?

NUÑO.   ¡Apiadarme! Más y más
me irrita, Leonor, tu lloro,
que por él vertiendo estás;   15
no lo negaré, aún te adoro,
mas perdonarle . . . jamás.
Esta noche, en el momento . . .
Nada de piedad.

LEONOR, *con ternura.*   ¡Cruel!
¡Cuando en amarte consiento!   20

NUÑO.   ¿ Qué me importa tu tormento,
si es por él, sólo por él?

LEONOR.   Por él, don Nuño, es verdad;
por él con loca impiedad
el altar he profanado.   25
¡Y yo, insensata, le he amado
con tan ciega liviandad!

NUÑO.   Un hombre oscuro . . .

LEONOR.   Sí, sí . . .
nunca mereció mi amor.

NUÑO.   Un soldado, un trovador . . .   30

LEONOR. Yo nunca os aborrecí.

NUÑO. ¿Qué quieres de mí, Leonor?
¿Por qué mi pasión enciendes,
que ya entibiándose va?
5   Di que engañarme pretendes,
dime que de un Dios dependes,
y amarme no puedes ya.

LEONOR. ¿Qué importa, Conde? ¿No fuí
mil y mil veces perjura?
10   ¿Qué importa, si ya vendí
de un amante la ternura,
que a Dios olvide por ti?

NUÑO. ¿Me lo juras?

LEONOR.   Partiremos
lejos, lejos de Aragón,
15   do felices viviremos,
y siempre nos amaremos
con acendrada pasión.

NUÑO. ¡Leonor . . . delicia inmortal!

LEONOR. Y tú en premio a mi ternura . . .

20 NUÑO. Cuanto quieres.

LEONOR.   ¡Oh, ventura!

NUÑO. Corre, dile que el de Artal
su libertad le asegura,
pero que huya de Aragón,
que no vuelva, ¿lo has oído?

25 LEONOR. Sí, sí . . .

NUÑO.   Dile que atrevido
no persista en su traición,
que tu amor ponga en olvido.

LEONOR. Sí . . . lo diré . . . (Dios eterno,
tu nombre bendeciré!)

NUÑO.   Cuidad, que os observaré.

LEONOR.   (Ya no me aterra el infierno,
           pues que su vida salvé.)

ESCENA VI

*Calabozo oscuro con una ventana con reja a la izquierda y una
    puerta en el mismo lado; otra ventana alta en el fondo, ce-
    rrada. Debajo de la ventana, y en un escaño, estará re-
    costada* AZUCENA; *en el lado opuesto* MANRIQUE, *sentado*

MANRIQUE.   ¿Dormís, madre mía?

AZUCENA.   No . . . bastante lo he deseado, pero el sueño   5
huye de mis ojos.

MANRIQUE.   ¿Tenéis frío tal vez?

AZUCENA.   No . . . te he oído suspirar a menudo . . . ven
aquí . . . ¿Qué tienes?   ¿Por qué no me confías todos tus
padecimientos?   ¿Por qué no los depositas en el seno de una   10
madre? Porque yo soy tu madre, y te quiero como a mi vida.

MANRIQUE.   ¡Mis padecimientos!

AZUCENA.   He orado por ti toda la noche; es lo único
que puedo hacer ya.

MANRIQUE.   Descansad un momento.   15

AZUCENA.   Yo quisiera escaparme de aquí, porque me
sofoca el aire que aquí respiro . . . porque van a matarme.
Pero tú me defenderás, tú no consentirás que te roben a
tu madre.

MANRIQUE.   ¡Gran Dios!   20

AZUCENA.   Pero estoy afligiéndote, ¿es verdad?

MANRIQUE.   No; decid, decid lo que queráis.

AZUCENA.   Tú no podrás socorrerme; vendrán muchos
contra ti, y tus fuerzas se agotarán; pero no temas por mí,
yo estoy libre de su furor.   25

MANRIQUE.   ¿Vos?

AZUCENA.   Sí; los tiranos no mandan sobre el sepulcro,
ni el verdugo puede martirizar una carne que no siente.
Acércate . . . Mira esta frente pálida; ¿no está pintada en
5 ella la muerte?

MANRIQUE.   ¿Qué decís?

AZUCENA.   Sí; desde esta mañana he sentido que me
abandonaban las fuerzas, que mis miembros se torcían; un
velo de sangre ha ofuscado más de una vez mis ojos, y un
10 zumbido espantoso ha resonado continuamente en mis
oídos . . . se me figuraba que oía el llamamiento a la eternidad . . . ¡La eternidad! Y ya voy a salir de esta vida
con el alma emponzoñada . . .

MANRIQUE.   Por favor.

15 AZUCENA.   Y van a matarme . . .

MANRIQUE.   ¡A mataros! ¿Y por qué? ¡Porque sois
mi madre, y yo soy la causa de vuestra muerte! ¡Madre
mía, perdón!

AZUCENA.   No temas. ¿A qué llorar por mí? No, no
20 tendrán el placer de tostarme como a mi madre; siento que
mi vida se acaba por instantes, pero quisiera morir pronto.
¿No es verdad que se llenarán de rabia cuando vengan a
buscar una víctima y encuentren un cadáver, menos que
un cadáver . . . un esqueleto? ¡Ja . . . ja . . . ja . . .!
25 Quisiera yo verlo para gozarme de su desesperación. Cuando
vean mis ojos quebrados, cuando toquen mi mano seca y
fría como el mármol . . .

MANRIQUE.   ¡No me atormentéis, por piedad!

AZUCENA.   ¿Oyes? ¿Oyes ese ruido? Mátame . . .
30 pronto, para que no me lleven a la hoguera. ¿Sabes tú
qué tormento es el fuego?

MANRIQUE.   ¿Y tendrán valor?

AZUCENA. Sí; lo tuvieron para mi madre; debe ser horroroso ese tormento . . . ¡La hoguera! Y siempre la tengo delante, y siempre con sus llamas que queman, que quitan la vida con desesperados tormentos.

MANRIQUE. No más, no más. 5

AZUCENA. Me acuerdo de cuando achicharraron a tu abuela; iba cubierta de harapos; sus cabellos, negros como las alas del cuervo, ocultaban casi enteramente su cara; yo, tendida en el suelo, arañando frenética mi rostro, había apartado mis ojos de aquel espectáculo, que no podía su- 10 portar; pero mi madre me llamó, y yo corrí hasta los pies del cadalso . . . los verdugos me rechazaron con aspereza, no me dejaron darla siquiera un beso, y la metieron en el fuego . . . Todavía retiembla en mi oído el acento de aquel grito desesperado que le arrancó el dolor . . . Debe ser 15 horrible, precisamente horrible ese suplicio; aquel grito desentonado expresaba todos los tormentos de su cuerpo, y los verdugos se reían de sus visajes, porque la llama había quemado sus cabellos, y sus facciones contraídas, convulsas, y sus ojos desencajados, daban a su rostro una expresión 20 infernal . . . ¡Y esto les hacía reír!

MANRIQUE. ¿No podéis olvidar todo eso? ¿Por qué no procuráis descansar?

AZUCENA. Sí; eso querría, pero . . . ¿y la hoguera? ¿Y si durmiendo me llevan a la hoguera? 25

MANRIQUE. No, no vendrán.

AZUCENA. ¿Me lo prometes tú?

MANRIQUE. Os lo ofrezco, madre mía; podéis reposar un momento.

AZUCENA. ¡Tengo mucha necesidad de dormir! ¡He 30 estado despierta tanto tiempo! Dormiré, y luego nos iremos; ¿qué razón hay para que no nos dejen ir? Cuando

sea de día . . . Pero aquí no se sabe cuando es de día . . .
Aunque sea de noche, a cualquier hora, sí, porque quiero
respirar; aquí me ahogo.

MANRIQUE. (¡Qué tormento!)

5 AZUCENA. Y correremos por la montaña, y tú cantarás
mientras yo estaré durmiendo, sin temor a esos verdugos
ni a ese suplicio de fuego.

MANRIQUE. Descansad.

AZUCENA. Voy . . . pero calla . . . calla . . . (*Se queda*
10 *dormida; un momento de silencio.*)

MANRIQUE.   Duerme, duerme, madre mía,
mientras yo te guardo el sueño,
y un porvenir más risueño
durmiendo allá te sonría.

15   Al menos ¡ay! mientras dura
tu sueño, no acongojado
veré tu rostro bañado
con lágrimas de amargura.

ESCENA VII

MANRIQUE, LEONOR, y AZUCENA

LEONOR.   ¡Manrique!

MANRIQUE.   ¿No es ilusión!
20   ¿Eres tú?

LEONOR.   Yo, sí . . . yo soy;
a tu lado al fin estoy,
para calmar tu aflicción.

MANRIQUE.   Sí; tú sola mi delirio
puedes, hermosa, calmar;
25   ven, Leonor, a consolar
amorosa mi martirio.

LEONOR.	No pierdas tiempo, por Dios . . .
MANRIQUE.	Siéntate a mi lado, ven.
	¿Debes tú morir también?
	Muramos juntos los dos.
LEONOR.	No, que en libertad estás.
MANRIQUE.	¿En libertad!
LEONOR.	Sí; ya el Conde . . .
MANRIQUE.	¿Don Nuño, Leonor! Responde,
	responde . . . ¡Cielo! ¿Esto más!
	¡Tú a implorar por mi perdón
	del tirano a los pies fuiste! . . .
	Quizá también le vendiste
	mi amor y tu corazón.
	No quiero la libertad
	a tanta costa comprada.
LEONOR.	Tu vida . . .
MANRIQUE.	¿Qué importa? Nada . . .
	quítamela, por piedad;
	clava en mi pecho un puñal
	antes que verte perjura,
	llena de amor y ternura,
	en los brazos de un rival.
	¡La vida! ¿Es algo la vida?
	Un doble martirio, un yugo . . .
	llama que venga el verdugo
	con el hacha enrojecida.
LEONOR.	¿Qué debí hacer? Si supieras
	lo que he sufrido por ti,
	no me insultaras así,
	y a más me compadecieras.
	Pero, huye, vete, por Dios,
	y bástete ya saber

5

10

15

20

25

30

que suya no puedo ser.

MANRIQUE. Pues bien, partamos los dos,
mi madre también vendrá.

LEONOR. Tú solamente.

MANRIQUE. No, no.

5 LEONOR. Pronto, vete.

MANRIQUE. ¡Solo yo!

LEONOR. Que nos observan quizá.

MANRIQUE. ¿Qué importa? ¡Aquí moriré,
moriremos, madre mía!
Tú sola no fuiste impía
10 de un hijo tierno a la fe.

LEONOR. ¡Manrique!

MANRIQUE. Ya no hay amor,
en el mundo no hay virtud.

LEONOR. ¿Qué te dice mi inquietud?

MANRIQUE. Tarde conocí mi error.

15 LEONOR. ¡Si vieras cuál se extremece
mi corazón! ¿Por qué, di,
obstinarte? Hazlo por mí,
por lo que tu amor padece.
Sí; este momento quizá . . .
20 ¿No ves cuál tiemblo? Quisiera
ocultarlo si pudiera;
pero no, no es tiempo ya.
Bien sé que voy tu aflicción
a aumentar, pero ya es hora
25 de que sepas cuál te adora
la que acusas sin razón.
Aborréceme, es mi suerte;
maldíceme si te agrada,
mas toca mi frente helada

con el hielo de la muerte.
Tócala, y si hay en tu seno
un resto de compasión,
alivia mi corazón,
que abrasa un voraz veneno . . .   5

MANRIQUE. ¡Un veneno! . . . ¿Y es verdad?
Y yo, ingrato, la ofendí
cuando muriendo por mí . . .
un veneno . . .

LEONOR.   Por piedad,
ven aquí, por compasión,   10
a consolar mi agonía.
¿No sabes que te quería
con todo mi corazón?

MANRIQUE. Me matas.

LEONOR.   Manrique, aquí,
aquí me siento abrasar.   15
¡Ay! ¡ay! Quisiera llorar,
y no hay lágrimas en mí.
¡Ay! juventud malograda,
por tiranos perseguida!
¡Perder tan pronto una vida   20
para amarte consagrada!

(*Se ve brillar un momento el resplandor de una luz en la
    ventana de la izquierda.*)

¡Mira, Manrique, esa luz . . .
vienen a buscarte ya;   25
no te apartes, ven acá,
por el que murió en la cruz!

MANRIQUE. Que vengan . . . ya entregaré
mi cuello sin resistir;
lo quiero; anhelo morir . . .   30

                        muy pronto te seguiré.

LEONOR.   ¡Ay! Acércate . . .

MANRIQUE.   ¡Amor mío! . .

LEONOR.   Me muero, me muero ya
                sin remedio; ¿dónde está
5   tu mano?

MANRIQUE.   ¡Qué horrible frío!

LEONOR.   Para siempre . . . ya . . .

MANRIQUE.   ¡Leonor!

LEONOR.   ¡Adiós! . . . ¡adi . . . ós!
                (Espira; un momento de pausa.)

MANRIQUE.   ¡La he perdido!
                ¡Ese lúgubre gemido!
10   es el último de amor.
                Silencio, silencio; ya
                viene el verdugo por mí . . .
                Allí está el cadalso, allí,
                y Leonor aquí está.
15   Corta es la distancia, vamos,
                que ya el suplicio me espera.
                        (Tropieza con Azucena.)
                ¿Quién estaba aquí? ¿Quién era?

AZUCENA.   ¿Es hora de que partemos?
20   *(Entre sueños.)*

MANRIQUE.   A morir dispuesto estoy . . .
                Mas no; esperad un instante;
                a contemplar su semblante,
                a adorarla otra vez voy.
25   Aquí está . . . Dadme el laúd;
                en trova triste y llorosa,
                en endecha lastimosa
                os contaré su virtud.

Una corona de flores
dadme también; en su frente
será aureola luciente,
será diadema de amores.
Dadme, veréisla brillar   5
en su frente hermosa y pura;
mas llorad su desventura
como a mí me veis llorar.
¡Qué funesto resplandor!
¿Tan pronto vienen por mí?   10
El verdugo es aquél . . . sí;
tiene el rostro de traidor.

ESCENA VIII

Los de la escena anterior, Don Nuño, Don Guillén, Don
Lope *y* Soldados *con luces*

Nuño.   ¿Leonor?

Manrique.   ¿Quién la llama? ¿Por qué vienen
a apartarla de mí? La desdichada
ya a nadie puede amar. ¡Si yo pudiera   15
ocultarla a sus ojos!

(La cubre con su ferreruelo, que tendrá al lado.)

Nuño.   ¿Leonor?

Manrique.   Calla . . .
No turbes el silencio de la muerte.

Nuño.   ¿Dónde está Leonor?

Manrique.   ¿Dónde? Aquí estaba.
¿Venís a arrebatármela en la tumba?   20

Nuño.   ¿Ha muerto?

Manrique.   Sí . . . Ya ha muerto.
(Descubriendo el rostro pálido de Leonor.)

GUILLÉN.	¿Quién? ¡Mi hermana!
MANRIQUE.	Ya no palpita el corazón; sus ojos
	ha cerrado la muerte despiadada.
	Apartad esas luces; mi amargura
5	piadosos respetad . . . no me acordaba . .

                    (*A don Nuño.*)

                  ¡Sí; tú eres el verdugo! Acaso buscas
                  una víctima . . . ven . . . ya preparada
                  para la muerte está.

NUÑO.	Llevadle al punto,
10	llevadle, digo, y su cabeza caiga.

        (*Varios soldados rodean a Manrique.*)

MANRIQUE.	Muy pronto, sí . . .
NUÑO.	Marchad . . .
MANRIQUE.	¿Qué miro! Vamos . .

        (*Reparando en Azucena.*)

                  No le digáis, por Dios, a la cuitada
15   que va su hijo a morir . . . ¡Madre infelice,
                  hasta la tumba, adiós . . . ! (*Al salir.*)

ESCENA IX

LOS MISMOS, *menos* MANRIQUE

AZUCENA, *incorporándose.*	¿Quién me llamaba?
	El era, él era. ¡Ingrato . . . se ha marchado
	sin llevarme también!
NUÑO.	¡Desventurada!
20	Conoce al fin tu suerte.
AZUCENA.	¡El hijo mío!
NUÑO.	Ven a verle morir.
AZUCENA.	¿Qué dices? ¡Calla!
	¡Morir . . . morir! . . . No, madre, yo no puedo;

perdóname, lo quiero con el alma.
Esperad, esperad, . . .

NUÑO.   Llevadla.

AZUCENA.   ¡Conde!

NUÑO.   Que le mire espirar.

AZUCENA.   Una palabra,
un secreto terrible; haz que suspendan
el suplicio un momento.

NUÑO.   No; llevadla.   5

(*La toma por una mano y la arrastra hasta la ventana.*)
Ven, mujer infernal . . . goza en tu triunfo.
Mira el verdugo, y en su mano el hacha
que va pronto a caer . . .

(*Se oye un golpe que figura ser él de la cuchilla.*)   10

AZUCENA.   ¡Ay! ¡Esa sangre!

NUÑO.   Alumbrad a la víctima, alumbradla.

AZUCENA. ¡Sí, sí . . . luces . . . él es . . . tu hermano, im-
          bécil!

NUÑO.   ¡Mi hermano, maldición! . . .

(*La arroja al suelo, empujándola, con furor.*)

AZUCENA.   ¡Ya estás vengada!

(*Con un gesto de amargura, y espira.*)   15

EJERCICIOS

I

Escena I

Conversación: 1. ¿ En qué siglo tiene lugar la acción de este drama ? 2. ¿ Cuántos hijos tenía el conde don Lope de Artal ? 3. ¿ Por qué quemaron a la gitana ? 4. ¿ Qué le sucedió a uno de los hijos del Conde ? 5. ¿ De quién está enamorada el Conde de Luna ? 6. ¿ Quién es el trovador ? 7. ¿ Cómo entró el Conde en la habitación de Leonor ? 8. ¿ Dónde estaba el trovador en aquel momento ? 9. ¿ Con quién equivoca Leonor al Conde ? 10. En el combate en el jardín, ¿ quién venció ?

Locuciones idiomáticas:

hace cuarenta años que estoy   acabo de contaros
tendría dos años   gozo de
por todas partes   me atrevo a
a los pocos días   ha de ser
buenas ganas teníamos   llegan a saber

Tradúzcase al español: 1. If they come to find out that he is there, they will not go to the palace. 2. He did not dare enter his room at night. 3. He had just told them that all gypsies are witches. 4. A few days after, they found a child. 5. His older brother must have been forty years old. 6. She is to sing tonight. 7. They would have enjoyed seeing the witch burned in public. 8. They were extremely anxious to catch her. 9. They began to look for the child everywhere. 10. He had been in the service of the king for more than two years.

II

Escenas II–V

Conversación: 1. ¿ De qué se quejaba D. Guillén a su hermana? 2. ¿ Por qué quería D. Guillén que su hermana se casase con el Conde de Luna? 3. ¿ Qué le respondió Leonor? 4. ¿ Por qué dudaba Manrique del amor de Leonor? 5. ¿ Por qué iba encubierto Manrique? 6. ¿ Por qué se le buscaba a Manrique? 7. ¿ Para quién combatía Manrique? 8. ¿ Por qué no quería admitir el duelo el Conde de Luna? 9. ¿ Cómo sucedió que Manrique era dueño de la espada del Conde? 10. ¿ Para qué fué al campo Manrique?

Estudio de verbos irregulares:

tengo que	venís
daros	cayó
oírme	dije
queréis	haré que
podéis	oíste

Tradúzcase al español: 1. She has many complaints to make to him. 2. He came to talk to her about his friend. 3. He had his wish (fulfilled). 4. Is he willing to hear her? 5. Don Guillén has to fulfill his promise to the count. 6. What does she want of him? 7. You may tell it to him. 8. They fell in the combat. 9. She said that she would not listen to him. 10. Did she believe that he heard what she said?

III

JORNADA SEGUNDA

Escenas I–V

Conversación: 1. ¿ Cuánto tiempo hace que recibió la herida don Nuño? 2. ¿ Por qué va Leonor a cerrarse en un convento? 3. Si Leonor no quiere casarse con don Nuño, ¿ qué hará éste? 4. ¿ Por qué no aprueba D. Guillén lo que quiere hacer D.

Nuño? 5. ¿Por qué no se hará justicia contra Guzmán si éste hará lo que le manda D. Nuño? 6. ¿En qué ciudad se dice que ha de haber revuelta? 7. ¿Por qué estaba casi desierta la ciudad? 8. ¿Quién era el caudillo de los rebeldes? 9. ¿Dónde le habían visto al trovador? 10. ¿Por qué estaba consternado D. Lope?

Locuciones idiomáticas:

le debieron de matar	hace un año
he de vengar	más bien
importa	lo será
cómo os va de ...	no sería
un año hará	debe de haber
me siento muy mejorado	será tal vez

Tradúzcase al español: 1. Leonor would (**quisiera**) be a nun rather than the bride of the count. 2. It could not have been Manrique who killed the archbishop. 3. Perhaps it is a rebel whom they saw in the city instead of the troubadour. 4. There must be rebels in that city. 5. He must have seen her yesterday. 6. Has he been appointed Chief Magistrate yet? No, but he will be soon. 7. They shall not go out of the city tonight. 8. It will be a year tomorrow that he was wounded. 9. This is more important than that. 10. How is the troubadour getting along with his wound? 11. It is a year that he has been ill. 12. He feels very much improved.

IV

Escenas VI–VIII

Conversación: 1. ¿En dónde tiene lugar la acción de la escena sexta? 2. ¿De quiénes está rodeada Leonor? 3. ¿Por qué está resuelta a tomar el velo? 4. ¿Por qué está temblando? 5. ¿Quién aparece poco después de esto? 6. ¿Por cuál razón tomó Leonor velo, según el parecer de Manrique? 7. ¿Qué piensa hacer Manrique? 8. ¿Por qué dice Ferrando que llegan tarde él y Guzmán? 9. ¿Por cuál razón cae des-

mayada Leonor? 10. ¿ Por qué pierden la ocasión Guzmán y
Ferrando de prender a Leonor?

Estudio de verbos con cambios radicales u ortográficos:

aborrezco	pierdo
murió	llegamos
apetezco	se acercan
tiemblo	encuentre
persiguiéronla	dirigen
busca	alza
huyendo	aparecen

Tradúzcase al español: 1. I sought her friend. 2. They
fled from the enemy. 3. They lose their consolation today.
4. I do not know whether I arrived late or not. 5. Why did
the count pursue her? 6. I drew near him as soon as I saw
him. 7. We regret that she abhors him. 8. I do not want him
to appear near the church. 9. They died last year. 10. She
said that she no longer yearned to live. 11. She was moving
towards the door of the church. 12. Her enemies do not
tremble when they enter the church.

V

Jornada tercera

Escenas I–II

Conversación: 1. ¿ Dónde se halla Azucena al comienzo de
la jornada tercera? 2. ¿ A quién se refiere la canción que está
cantando Azucena? 3. ¿ Por cuál razón abandonó Manrique
a su madre? 4. ¿ Qué ambiciona Manrique? ¿ Azucena?
5. ¿ Por qué no le ha preguntado nunca Manrique a su madre
acerca de su familia? 6. ¿ De qué habían acusado a la madre
de Azucena? 7. ¿ Qué le rogó su madre a Azucena cuando
estaba aquélla cerca del suplicio? 8. ¿ Cómo la vengó su
hija? 9. ¿ Cuál niño precipitó Azucena entre las llamas?
10. ¿ Por qué quisiera Manrique ser cualquiera persona a menos
que un Artal?

Locuciones idiomáticas:

se decidió a	fijar en
decía para mí	dieron en decir
se me ha figurado	llevaba . . . en los brazos

| no podría menos de | tuve ocasión de |
| tiene para mí recuerdos | se me puso delante de los ojos |

Tradúzcase al español: 1. Even in the mountains Leonor stood before Manrique's eyes. 2. The child turns its head to look at its mother. 3. Azucena would have it that she was Manrique's mother. 4. She could not help see her mother whenever (**siempre que**) she saw a fire. 5. He said to himself, " Some day this man will take his mother out of her misery." 6. Manrique decided to follow D. Diego. 7. He does not imagine that she will relate anything horrible to him. 8. The sight of Saragossa brought back sad memories to the gypsy woman. 9. Whose child is she carrying in her arms ? 10. Manrique never has the opportunity to bear the name of a count.

VI

Escenas III–VIII

Conversación: 1. ¿ Se le figura a Azucena que Manrique conoce su secreto ? 2. ¿ Por qué no quería Azucena que Manrique conociese su secreto ? 3. ¿ Por qué llora y suspira Leonor ? 4. ¿ Por qué manifiesta Leonor la mayor agitación cuando oye la canción acompañada de un laúd ? 5. ¿ Qué le propone Manrique a Leonor ? 6. ¿ Por qué no quiere Leonor al principio irse con Manrique ? 7. ¿ Qué hace después de esto ? 8. ¿ Por qué ha salido el rey de la ciudad ? 9. ¿ Con cuántos hombres cuenta Ruiz en la ciudad ? 10. ¿ Por qué ha ido don Nuño al convento ?

Estudio del subjuntivo:

que no sepa nunca   que huyamos me dices

huyamos   pretendes que . . . abandone
déjame . . . que triste muera   te imploro que . . . me arrancas

Tradúzcase al español: 1. I do not want him to know it.
2. She does not want him to flee. 3. Let us know it. 4. Let
us abandon the town. 5. Do not let him die here. 6. They
will not let them die there. 7. He tells us to go away. 8. They
will tell him to go away. 9. She asks him to tear her away
from there. 10. They will ask him to follow them.

VII

Jornada cuarta

Escenas I–IV

Conversación: 1. ¿ Por qué quiere hallar don Guillén a su
hermana ? 2. ¿ Por qué no pudo Nuño perseguirle a Manrique
cuando le halló cerca del claustro ? 3. ¿ Qué son los más de
los soldados del trovador ? 4. ¿ A quién han preso los soldados del conde ? 5. ¿ De qué la sospechan ? 6. ¿ A dónde
iba Azucena, y por qué ? 7. ¿ Por qué se sobresalta la gitana
cuando le habla don Nuño ? 8. ¿ Por qué quiere el conde que
la suelten ? 9. ¿ Por qué no lo quiere Jimeno ? 10. ¿ A dónde
manda don Nuño que la lleven ?

Estudio del subjuntivo:

que levanten   dejadme . . . que . . . vaya
sospechan . . . que venga a espiar decid que mal no me hagan
ninguno sea atrevido   permitidme que me vaya
para que así me maltraten   que la suelten

Tradúzcase al español: 1. Nuño wants us to take up the
tents. 2. She suspects that we are coming to spy. 3. Let them
not hurt her. 4. Do not allow him to set her free (to let her
loose). 5. Let no one touch her. 6. What cause have they
given for us to treat them thus ? 7. Let her go to seek her
son. 8. Tell him not to look for her.

VIII

Escenas V–IX

Conversación: 1. ¿ Por qué llora Leonor ? 2. ¿ Por qué no puede Leonor ser nunca la esposa de Dios ? 3. ¿ Por qué temblaba la mano de Manrique ? 4. ¿ Qué le dijo en el sueño la fantasma a Manrique ? 5. ¿ Por qué quiere partir el trovador del castillo aquella noche ? 6. ¿ Qué le anuncia Ruiz a Manrique ? 7. ¿ Qué va a hacer Manrique ? 8. ¿ Qué le confiesa Manrique a Leonor ? 9. ¿ Le desprecia ésta después de la confesión ? 10. ¿ Por qué partió Manrique sin escuchar a Leonor ?

Pasado de subjuntivo: 1. I did not want him to know it. 2. She did not want him to flee. 3. They would not let them die there. 4. He told us to go away. 5. She asked him to tear her away from there. 6. They said that they would ask him to follow them. 7. He wanted us to take up the tents. 8. She suspected that we were coming to spy. 9. What cause did they give for us to treat them thus ? 10. They allowed her to go and seek her son.

IX

Jornada quinta

Escenas I–V

Conversación: 1. ¿ Qué es la Aljafería ? 2. ¿ A quiénes custodian en ella ? 3. ¿ Qué le dijo Leonor a Ruiz que le trajera ? 4. ¿ Para qué ha venido Leonor a Zaragoza ? 5. ¿ Qué van a hacer los soldados con Manrique ? 6. ¿ Qué hace Leonor con el pomo ? 7. ¿ Por qué manda venir a un religioso el conde ? 8. ¿ Por qué no dará cuenta el conde al rey ? 9. ¿ A qué fué Leonor a visitar al conde ? 10. ¿ Qué le promete Leonor al conde si salvará a Manrique ?

Estudio de condiciones (Ejemplo: Si yo lograra . . . ¿ qué importara . . . ?): 1. If the count would listen to me, I would tell it to him. 2. If the count had listened to me, I would have told him. 3. What would it matter if they did not kill him? 4. What would it have mattered if they had killed him? 5. If they succeeded in freeing us, she would not be sad. 6. If they had succeeded in freeing us, she would not have been sad. 7. I should not be surprised if he forgot his disdain. 8. They would not have been surprised if he had forgotten his disdain.

X

Escenas VI–IX

Conversación: 1. ¿ Dónde se hallan Manrique y Azucena? 2. ¿ Por qué no puede dormir Azucena? 3. ¿ Por qué cree Azucena que no la van a tostar? 4. ¿ Por qué va a salir Azucena de la vida con el alma emponzoñada? 5. ¿ Por qué se desespera la gitana? 6. ¿ A dónde quiere Azucena irse con Manrique? 7. ¿ Por qué no quiere la libertad Manrique? 8. ¿ Por qué anhela morir al fin el trovador? 9. ¿ A dónde llevan los soldados a Manrique? 10. ¿ A quién ha matado el conde?

Repaso de verbos y pronombres: 1. Manrique's mother can not sleep because she thinks they are going to kill him. 2. She was praying for him when the soldiers entered the dungeon. 3. He told her that he would not afflict her. 4. She will not be able to see him. 5. We should like to free her. 6. They have found them in the dungeon. 7. They did not tell him (it) all because they did not know that she was a witch. 8. We fear that she will not be able to give them to them (*f.*). 9. She will beg him to free her. 10. If he (the latter) had known that he (the former) was his brother, he would not have had him killed.

TEMAS

JORNADA PRIMERA. — 1. Argumento de la primera jornada.
2. El cuento de Jimeno. 3. El cuento de Guzmán. 4. La
riña entre Leonor y don Guillén. 5. La riña entre Manrique
y don Nuño.

JORNADA SEGUNDA. — 1. Argumento de esta jornada. 2. La
trama entre don Nuño y Guzmán. 3. La toma del velo.

JORNADA TERCERA. — 1. Argumento de esta jornada. 2. El
cuento de Azucena. 3. El encuentro de Manrique y Leonor.

JORNADA CUARTA. — 1. Argumento de esta jornada. 2. La
captura de Azucena. 3. El sueño de Manrique. 4. La confesión de Manrique.

JORNADA QUINTA. — 1. Argumento de esta jornada. 2. La
visita de Leonor al Conde. 3. Manrique y Azucena en el
calabozo. 4. La visita de Leonor a Manrique.

IL TROVATORE

Opera in Four Acts

Libretto by Salvatore Cammarano. *Music by* Giuseppe Verdi

CHARACTERS

LEONORA, a noble lady of the Court of an Aragon Princess...........................	*Soprano*
AZUCENA, a wandering Biscayan Gypsy.........	*Mezzo-Soprano*
INEZ, attendant of Leonora....................	*Soprano*
MANRICO, a young chieftain under the Prince of Biscay, of mysterious birth............	*Tenor*
COUNT DI LUNA, a powerful young noble under the Prince of Aragon.....................	*Baritone*
FERRANDO, a captain of the guard, under di Luna	*Bass*
RUIZ, a soldier in Manrico's service............	*Tenor*
AN OLD GYPSY..............................	*Baritone*

A Messenger, a Jailer, Soldiers, Nuns, Gypsies, Attendants, etc.

Scene: Aragon and Biscay
Time: Fifteenth Century

ACT I
SCENE 1. Vestibule of the Aljafería.
SCENE 2. The Gardens of the Aljafería.

ACT II
SCENE 1. A Gypsy Camp in the Mountains of Biscay.
SCENE 2. Cloisters of a Convent near Castellar.

ACT III
SCENE 1. Camp of the Count di Luna.
SCENE 2. Manrico's Castle.

ACT IV
SCENE 1. Exterior of the Aljafería.
SCENE 2. Prison Cell, Interior of the Aljafería.

NOTES

NOTES

Page 2. — PERSONAJES. **Don** and **doña** are today commonly used after **señor** and **señora,** respectively, followed by the full name. Until the seventeenth century these words were titles of respect, reserved for the nobility, much as *Sir* and *Lady* are in England today.

Page 3. — EL DUELO. It was the custom of the Romanticists to give each act its separate title. Mesonero Romanos ridicules the use of these titles in *El romanticismo y los románticos.*

STAGE DIRECTIONS. **sala corta,** *drop-scene* (showing the servants' hall), in order to allow for the arrangement of the scenery for Scene II.

ESCENA PRIMERA. As befits a tragic work, *El Trovador* opens in an atmosphere of mystery and suspense. The servants of the Count de Luna are waiting for their master to wake up and, to while away the time, Ferrando relates the story of the count's childhood and the kidnapping of his brother. In the opera, *Il Trovatore,* the peculiar mood of the play is further indicated by the time, which is night, and it is while awaiting the arrival of their master that the servants tell the story of his family.

1. **esa,** *that* (. . . *that you have been talking about*). The force of **ese** and its various forms is rather difficult to express in translation. They refer to what the person addressed has said, or to something connected with the person addressed.

5. **Y . . . cosas.** The idea is that a story is exaggerated more and more with each successive retelling of it.

9. **su Alteza** refers to the king. This title was used in reference to the kings of Spain until the end of the seventeenth century. Today it is given to princes of royal blood, while the title given to the king is **su Majestad,** *His Majesty.* The king of Aragon at the time of *El Trovador* was Alfonso V, the Magnanimous.

11. **tendría,** *must have been; was probably.* The conditional here expresses conjecture or probability.

16. **Bruja.** The idea of witchcraft was not confined to any one country in times gone by, but existed among all the primitive races. It is still found among the common classes of many of the European countries. Women were more generally accused of the practice of witchcraft, although men and even children were not exempt from suspicion. The witch derived her power from the devil in return for her soul as his compensation. That they might escape arrest, witches were supposed to have the power to transform themselves into lower animals, such as cats and mice, and to be attended by personal spirits who did their bidding. In Spain and Italy particularly, it was believed that witches, when appearing as phantoms, could be frightened away if the person seeing them made the sign of the cross or pronounced the name of Jesus.

Page 4. — 1. **le estuvo mirando.** The present participle with **estar** expresses the action of the verb as unfinished and continuing at the time in question. Here the idea is *kept on looking.*

11. **furiosas.** In Spanish, adjectives are often used where an adverb would be used in English. This occurs frequently in our play.

12. **me hubiera muerto.** This subjunctive may be considered as the conclusion of an implied condition (i.e., if I had seen them, I would have died from fear).

21. **a guiarse por mis consejos,** *if they had let themselves be guided by my advice.* The infinitive preceded by **a** often takes the place of the protasis (condition) in a contrary-to-fact condition.

23. **Dime con quien andas y te diré quién eres.** An old Spanish proverb equivalent to *Birds of a feather flock together.*

25. **quisieron.** Note carefully the translation of **querer.** It often means *to be willing.*

29. **se le buscó,** *they looked for him.* The reflexive is often used in Spanish when an impersonal expression is used in English. It is to be noted that this reflexive construction may take a direct object: **se la buscó,** *they looked for her.*

Page 5. — 13. **no ha dejado de haber,** *there has been no end of.*

24. **cuervo negro.** The raven, a bird of much intelligence and cunning, has been known from remotest times and is connected

with the history and mythology of many nations. Its black
color has long made the raven an omen of disaster and death to
superstitious minds. The Colombian Jorge Isaacs makes this
ominous bird play an important symbolical part throughout his
beautiful idyl *María*, and Poe, in *The Raven*, makes it the symbol of his weird and melancholy mood.

25. **buho.** Most owls are nocturnal in their habits; hence it
is easy to understand Ferrando's statement.

30. **Padre nuestro.** The Lord's Prayer, in Spanish, is as follows: " Padre nuestro, que estás en los cielos, santificado sea el
tu nombre. Venga a nos el tu reino. Hágase tu voluntad, así en
la tierra como en el cielo. El pan nuestro de cada día dánosle
hoy; y perdónanos nuestras deudas, así como nosotros perdona-
mos a nuestros deudores. Y no nos dejes caer en tentación; mas
líbranos de mal."

31. **ni por ésas,** *nor was that of any avail.* **Esas** here probably
refers to some such word as **semejas,** the whole idea being that
neither the Lord's Prayer nor *similar* prayers were effective in
driving away the witch who visited his room in the form of a
screech owl. Cf. the idiom **ni por semejas,** *nothing of the sort.*

32. **unos ojos tan relucientes,** *with such glaring eyes.* — **se me
erizó el cabello,** *my hair stood on end.* In actions affecting the
parts of the body, a personal pronoun is used as an indirect object: **me arden los ojos,** *my eyes burn.* This construction is
known as the ethical dative, and is often found in colloquial
English: " I bought *me* a new hat." Note the use of the ethical
dative with the reflexive construction in this case.

Page 6. — 1. **un no sé qué de diabólico y de infernal,** *something
hellish and devilish about it.* It was a popular belief, and still is,
among some of the Latin peoples, that making the sign of the
cross or calling the name of Jesus would immediately drive away
any diabolical apparition or ghost.

4. **¡ Jesús!** *Heavens!* Such exclamations are frequent in
Spanish, and they do not have the offensive tone which they have
in English. Translate by some mild exclamation.

6. **furiosa.** See note to page 4, line 11.

9. **otras,** i.e., **otras cosas.**

11. **¿ Cómo!** If an expression or sentence is of a mixed charac-

ter, i.e., both exclamatory and interrogative, it may begin with an inverted interrogation mark and end with an exclamation point, or vice versa.

31. **que en mala hora naciera,** *curse him.* Literally, ' who was born in an evil (or cursed) hour.' This is the old pluperfect indicative which passed over into the imperfect subjunctive. But Romantic poets of the nineteenth century restored the **-ra** form as a literary pluperfect indicative, chiefly in relative clauses. This form is still met with frequently, used either as a pluperfect or with the force of a preterit. **Que en mala hora naciera** may also be a wish that he be pursued by evil fortune. In that case, **naciera** would be a true subjunctive (optative). This phrase evidently refers to belief in astrology, for the Spaniards, as well as the other Christians of the Middle Ages, were all great cultivators of astrology. Cf. the English " to be born under a lucky (or unlucky) star."

Page 7. — 3. **su Alteza,** i.e., the queen.

3–4. **que sepamos,** *so to speak; that we know of; as far as we know.*

7. **Sí, eso sí ... pero en cuanto a lo demás,** *Yes, he is ... but as for the rest,* i.e., in other respects.

9. **Lo que,** *As.*

13. **estando los dos,** *when we two were.*

16. **esta noche ha de ser,** *tonight is going to be.* **Haber de** is often used instead of the future of a verb to express what is likely to happen in the natural course of events, or to express an emphatic or strong future (*shall*).

19. **en el camino,** *while we were walking.*

22. **para lo cual,** *for which purpose.* Notice that **lo cual** here does not refer to **la habitación** but to the general idea in question, i.e., **su intento de entrar en la habitación.**

Page 8. — 6. **con quien se las había,** *with whom she was dealing.* **Las** is an indefinite pronoun possibly referring to some such word as **cosas,** *matters, things;* **disputas,** *disputes;* **contiendas,** *altercations;* or **palabras,** *words.*

8. **hizo brillar ... el acero.** Note that verbs of causation are followed immediately by the dependent infinitive.

13. **como a mí,** *as* (*it does*) *to me.*

15. **si llegan a saber sus Altezas,** *if Their Highnesses* (i.e., the king and queen) *ever find out about.*

17. **para lo que,** i.e., **para lo poco que.**

18. **Los enamorados, dicen que no duermen = Dicen que los enamorados no duermen.**

19. **Vamos,** *Let us go.* **Vamos** is commonly substituted for the seldom used **vayamos.** — **no,** i.e., **para que no,** *lest; so that* (*he*) *will not.*

20. **Y hoy que estará de mala guisa,** *And* (*especially*) *today when he is probably in a bad humor.* **Estará** is the future of probability.

STAGE DIRECTION. **en el palacio.** See page 6, line 23.

22. **Mil quejas tengo que daros, si oírme, hermana, queréis = Si queréis oírme, hermana, tengo que daros mil quejas.** The verse form of the drama is worthy of note. In general, scenes in which subordinates or common people appear are in prose, while those between nobles are in verse. When the action is of ordinary pitch, this verse is very simple, but when the action reaches a high pitch, the verse form becomes complicated. Cf. Act III, Scene V; Act IV, Scenes V and VI.

Page 9. — 6. **al de Luna,** i.e., **al conde de Luna.** The article is used to avoid the repetition of the noun, which is **conde** in this case. This construction occurs several times in the course of the play.

19. **vos** for **usted** is archaic. Until late in the fifteenth century the only forms of address, aside from titles, were **tú** and **vos. Vos** was applicable to one or more persons, but the verb was always in the plural. At the end of the Middle Ages **vos** (*pl.*) was gradually replaced by **vosotros,** while **vuestra merced** (mod. **usted**) became the formal pronoun of address.

20. **O soy o no,** i.e., **¿ Soy o no soy ?**

21. **Nunca lo fuerais, por Dios,** *Would to God that you were not.* **Fuerais** is probably imperfect subjunctive here, the phrase being equivalent to **¡ ojalá que nunca lo fuerais !** However, it could also be the old pluperfect indicative used with the force of a preterit, meaning *you never were.* Cf. note to page 6, line 31.

26. **O vivir,** i.e., **O debéis vivir.**

27. **Lo** here refers to the idea contained in Guillén's statement **vivir encerrada.**

Page 10. — 1. **haré,** *I shall bring it about.*   Causative.

3. **Idos ... con Dios.**   Two common expressions of leave-taking in Spanish are **irse con Dios** (said to the person leaving) and **quedarse con Dios** (said to the one remaining).   Both these expressions are equivalent, of course, to *good-by.*

ESCENA III.   The exit or appearance of one of the more important characters marks a new scene in Spanish plays, although the curtain is not lowered unless there is a change of scene, as happens between Scenes I and II.   **Sala corta,** *drop-scene showing servants' hall,* was noted in the stage direction of page 3 to allow for the change of scenery for Scene II, which was Leonor's room in the royal palace.   The settings for Scenes III, IV, and V are, therefore, the same as that for Scene II.   *Curtain* is **telón.**

5. **¿ Lo oíste ?**   Leonor uses the familiar **tú** in addressing her servant who is also her confidante.   Jimena, in turn, uses both the respectful and formal **vos** and the familiar **tú** in addressing Leonor, **vos** as a servant and **tú** in the more intimate conversation in which she seems to be playing the rôle of confidante.

¡ **Negra fortuna !**   The Romantic heroine, like the Romantic hero, is a fated person.   Often an insurmountable obstacle separates her from her lover.   Here Manrique is a mere troubadour, a man of doubtful lineage, while Leonor belongs to a noble family. Note the Romantic use of **negro, -a,** which spells gloom or failure.

6. **ni ... ninguna,** *no ... whatever.*   After **ni** the negative indefinite pronouns must be used, not the affirmative.

13. **quiere,** i.e., Guillén quiere.

20. **perseguirme.**   The infinitive may be governed by **¿ cómo ? ¿ dónde ?** or by an interrogative pronoun.   This construction occurs in elliptical clauses: **¿ Por qué perseguirme ?** *Why persecute me ?*

Page 11. — 14. **guárdelos,** *let ... keep them.*

Page 12. — 1. **¿ Eres tú ? ... Yo, sí.** *Is it you ? — Yes, it is.*
2. **tembléis.**   Manrique, doubting Leonor's love, uses the cold,

formal **vos.** But on page 13, lines 6 ff., he uses **tú,** in this case scornful, to express his anger or contempt.

6. **¿ Os da pena de mi venida?** *Are you sorry because of my coming?*

12. **¿ Quién ... te creyera!** *Who would believe you?* meaning, probably, *Oh, if I could only believe you!*

15. **a un pecho.** A personified noun used as a direct object takes the personal **a** before it.

20. **vuestro.** Leonor finds herself in a state of fear; hence the use of the formal **vuestro.** But in line 23 there is a change — here she is entreating.

Page 13. — 19. **Sí, pero juzgué engañada,** etc. This speech is expanded into an entire scene (Sc. II) in the opera. The setting of this scene is the garden of the Aljafería. Leonor confides to Jimena her interest in the unknown knight (Manrique) whom she had first seen at the tournament, singing her first number, *Tacea la notte placida* (Peaceful Was the Night). In this wistful aria she speaks of the troubadour who serenaded her, and of the feelings which have been inspired in her heart by his song. The ladies enter the palace just as the count, who is also wooing Leonor, comes to watch under her window. He has barely taken his station when the lovely song of the troubadour, *Deserto sulla terra* (Naught on Earth is Left Me) is heard. In this beautiful serenade, one of the gems of the opera, Manrique sings of his lonely life and the one hope that remains to him — that of being loved by Leonor.

Page 14. — 2. **me figuré verte,** *I imagined I saw you.* The infinitive is often used instead of a dependent clause with verbs of perception, when the subject of both clauses is the same person.

11–12. **Y mil vidas que tuviera ... te diera = Y si tuviera mil vidas, te (las) diera (todas).**

15–16. **entrara; arrostrara.** The imperfect subjunctive very often appears in the conclusion of a condition which is not expressed, and is translated into the English by the conditional. There are several examples of this form in *El Trovador.*

18. **¿ Aborrecerte!** *Hate you?* The infinitive is often used as an interrogative exclamation of surprise.

22. **pudiera,** the imperfect subjunctive used with the force of a conditional. A similar use is found in line 26 — **fuera.**

Page 15. — 1. **más tarde será,** *probably later.*
22. **El mismo soy,** *I am none other.*

Page 16. — 4. **del.** See note to page 9, line 6.
12. **espero,** *I should like.*
16. **Pensáislo con madurez,** *You seem to realize it.* Note the position of the pronoun object, which is quite a common usage in literary style.
17 – 23. **Pienso que atrevido,** etc. According to the code of honor, dueling implied equality of rank. Consequently a noble could not and would not fight with his social inferior. The same idea is expressed in Shakespeare's *Anthony and Cleopatra,* II, Sc. V: 82–83, where Cleopatra, having just struck the messenger who has brought her bad news, says:

"These hands do lack nobility, that they strike
A meaner than myself."

23. **hidalgo de pobre cuna.** The count is addressing Manrique.
26. **¿ Y lo pudisteis pensar?** *And you even dare think it?*

Page 17. — 4. **castigarte.** Notice that Nuño instead of using **vos,** as he has up to this point, uses **tú** here to express his contempt for a man beneath him. But when he challenges him to draw his sword (which implies equality, at least according to the code of honor) he uses the formal **vos** (line 6).
7. **fuera os espero.** Palace etiquette was strict, and to draw a sword or to quarrel in the royal palace was a crime severely punished. But since Manrique was an outlaw in the eyes of the king, and therefore already liable to punishment, his inviting Don Nuño outside marks the troubadour as an example of the Spanish gentleman and Spanish heroism.
12. **esta espada.** Manrique refers to the sword he took from the count the night before (cf. page 8, line 10).
28. **Don Nuño, pronto, salid.** This act ends in an effective

climax. In the opera Act II, Scene I, the scene corresponding to this one, opens with Manrique's telling of his combat with the count, *Mal reggendo all'aspro assalto* (At My Mercy Lay the Foe), in which by an irresistible impulse, after felling his rival to the ground, he spares the noble's life. The gypsy then bids him never again to allow their mortal enemy to escape.

Page 18. — EL CONVENTO. The title of this act serves as an antithesis to that of the first act.

12. **le debieron de matar,** *they must have killed him.*

14. **lo** refers to **bueno y fiel.**

18. **por quien soy,** *as surely as my name is Nuño.* Literally, ' by him who I am.'

Page 19. — 9. **¿Cómo os va de aquella herida?** *How is your wound?*

11. **Un año hará.** We know now that a year has passed between the first and second act.

13. **Muy cerca la muerta he visto,** i.e., *I was at death's door.*

Page 20. — 18. **lo,** i.e., **religiosa.**

26–27. **Pues bien,** etc. In portraying the characters of the count and the troubadour, García Gutiérrez represents Don Nuño, whom one might naturally expect to display the qualities of a man of noble birth and lofty character, as possessing all the qualities of a man of ignoble deeds and base heart, while Manrique bears himself like an **hidalgo.** This portrayal provides a striking contrast.

Page 21. — 3. **Noble he nacido.** Observe that while Guillén, who is vanity personified, does not hesitate to take part in the scheme of forcing his sister to marry the count, he does draw the line when it comes to desecrating the sanctity of the church.

15. **que entre diréis,** *you will tell ... to come in.* Note the use of the future for the imperative, as often in commands.

Page 22. — 6–7. **Siéntate. ¿ En vuestra presencia, señor?** Observe that in speaking to servants and inferiors, the nobles used **tú,** while the latter used **vos** in addressing their masters and superiors. A servant could not sit down in the presence of his master. But observe that Don Nuño flatters him by asking him to sit down, in order to make more sure that he will be faithful.

23. **debía haberla olvidado,** *should have forgotten her.*

Page 23. — 7. **contra ti no se hará justicia,** *against you there will be no justice,* i.e., the law will not be enforced against you.

Page 24. — 7. **si la hallares,** *if you do meet with it* (i.e., resistance). **Hallares** is the future subjunctive which, although once very common, is rarely used in modern Spanish.

9. **En cualquiera parte.** Notice to what limit Don Nuño is willing to go to hinder Leonor from taking the vows. In the Middle Ages the church was a safe refuge even for the most abject criminal.

Page 25. — 1. **¿ Si no era él !** *Do you mean it wasn't he?* **Si** in such constructions denotes uncertainty, surprise or curiosity.

2. **No sería ...** *It could not have been ...*

15. **Pluguiera,** imperfect subjunctive of **placer,** *would.* **Placer** is seldom used except in exclamations. In its other forms it is generally replaced by **querer** or **gustar.**

22. **Pues no las tengo yo todas conmigo,** *I am not myself; I am uneasy.* **Las** probably refers to some such word as **facultades,** *senses, wits,* making the expression mean *I do not have my wits about me.* **Las** is used in a great number of expressions in an indefinite sense. Cf. note to page 8, line 6.

Page 26. — ESCENA VI. Leonor, believing that the troubadour has been killed, has decided to enter a convent, carrying out the resolution made in Act I, Scene II.

STAGE DIRECTION. **se verá,** *will be seen,* i.e., can be seen. In stage directions the future is quite commonly used for the present. 3. **a la derecha,** i.e., to the right of the spectator.

2. **Quiera,** optative subjunctive. One may translate, *May.*

Page 27. — 1-2. **El mal, como la ventura, todo pasa con el tiempo.** Cf. the other Spanish proverb **No hay mal que cien años dure.**

Page 28. — STAGE DIRECTION. **Queda sola,** *Is deserted.*

3. **Si,** *I wonder if; what if.* Cf. note to page 25, line 1.

13. **pudo haber,** *could there have been.*

16. **debió padecer,** *must have suffered.*

Page 29. — 3. **Si supiera,** *If she only knew.*

7. **Callad,** i.e., Don't talk that way.

8. **¿ Y cómo no estarlo ?** *And why shouldn't I ?* For the use of the infinitive, cf. note to page 10, line 20.

13. **Pudiérala acaso ver = Si acaso la pudiera ver.**

14. **fuera,** i.e., **sería.**

16. **estoy,** i.e., **estaré.** The present may be used for the future for greater vividness.

Page 30. — 10. **y con su dolor más bella = y (está) más bella (que nunca) con su dolor.**

13. **Espérate,** *Wait* (for yourself). **Te** is a dative of interest. It frequently seems superfluous and can not always be rendered into English, but the dative in such a construction indicates an interest, more or less faint, taken in the matter by the person represented by the pronoun. It is best left untranslated.

Page 31. — JORNADA TERCERA. While the libretto of Verdi's opera preserves rather faithfully the action and the story of the play, the arrangement of acts and scenes is somewhat different. In the opera this scene is laid in a camp in the mountains of Biscay. It is early morning. The men are beginning their day's work, and as they sing *La Zingarella* (The Anvil Chorus), the swinging tune is accompanied by the ringing of blows on the anvil. Azucena appears, and in a highly dramatic aria, *Stride la vampa* (Fierce Flames Are Soaring), she relates to Manrique the dreadful story of the death of her mother. This song begins Act III of our play (lines 1–8). Azucena is probably the most interesting character in the play. In this song she mentally lives again through the scene of her mother's execution, each horrible detail of which is indelibly imprinted upon her memory. From her first sad notes of **Bramando está el pueblo indómito** to her last despairing cry of **Ya estás vengada** (p. 81, l. 14) we do not for a minute lose sight of the mortal conflict in her soul between the vengeance which she has sworn her mother and her love for Manrique. — **Bramando . . . derredor = El pueblo indómito está bramando en**

derredor de la hoguera. — brillan ... resplandor = sus **miradas**
(llenas) de terror, brillan al siniestro resplandor de la llama
trémula.

Page 32. — 8. **los,** *some ... ones.*

17. **para recordarlo ... estremecerse,** *merely recalling it, could
not help shuddering.*

19. **sin que ... huesos,** *without my flesh creeping.*

30. **dieron en decir,** *people insisted on saying; people would
have it that.*

32. **mal de ojo,** *the evil eye.* The belief that some persons, and
gypsies especially, possess a power of casting a spell over those
with whom they come in contact, thereby injuring them or even
causing their death, simply by looking at them, is very ancient,
and was met with among all the civilized nations of antiquity.
And even today the belief is wide-spread among the Latin races
and the Slavs. An interesting story built upon the superstition
of the evil eye is Gautier's *Jettatura.* Colomba, the heroine of
Mérimée's novel of the same name, likewise was supposed to be
possessed of the evil eye.

Page 33. — 8. **como quien llora,** *as one who weeps.*

10. **a ti** is in apposition with **a mi hijo.**

21. **Yo no hacía otra cosa que,** *I did nothing but.*

25. **tenía preparada.** Notice that **tener** here does not take the
place of **haber,** for it does not form a perfect tense. The idea is
that she had the pyre already prepared.

Page 34. — 12. **así,** preterit of the verb **asir.**

Page 35. — 4. **Artal,** the family name of Don Nuño.
6. **primero,** *(I would) rather (be).*

Page 36. — Escena III. In this scene Azucena evokes our
pity. After all she is a woman, and mother love in her triumphs
over all other passions, in spite of the fact that Manrique is only
her foster-son.

3. **Que no sepa nunca,** optative subjunctive. Literally, ' Let
him never know it.' Translate, *He must never find out.*

6. **Estuvo ... descubriera,** *He came very near finding it out.*

17. **Los votos que allí te hiciera,** *Whatever vows I made there to you.* For tense of **hiciera,** see note to page 6, line 31.

Page 37. — 14. **Tiempos que,** etc. = **(Oh) tiempos en que ...?**

Page 38. — 1-2. **Camina ... lidiador = (Un) caballero lidiador camina orillas del Ebro. Orillas de** is used as a prepositional phrase. Translate, *along.*

3. **puesta ... la lanza,** *with the lance.*

16. **¿ será posible ?** *can it be possible ?*

17. **Ya puedo espirar,** i.e., **Ya puedo morir felizmente.**

23. **cierto = verdad.**

Page 39. — 4. **él,** i.e., **el sepulcro.**

Page 40. — 3. **¿ No fueras ?** Cf. note to page 6, line 31.

Page 41. — 19. **¿ Que infame ...?** i.e., **¿ Pretendes que yo, infame ...?**

Page 43. — 1. **¡ Es mucho tardar !** *They are delaying too long.*

Page 44. — 3. **Ya vuelve ...,** *She is regaining consciousness.*

Page 45. — Escena VIII. In the opera Don Nuño appears before the convent with the intention of carrying Leonor away before the ceremony will have taken place, and sings his famous aria *Il balen del suo sorriso* (Tempest of the Heart). We are left in suspense as to the outcome of the struggle and the fate of Leonor.

Page 46. — Jornada cuarta. In the opera Act III, Scene I, shows the count's camp, at the right, with the towers of Castellar appearing in the distance. Scene II, of the same act, which corresponds to Act IV, Scene V, of our play, shows a hall adjacent to the chapel of Castellar.

11. **si está,** i.e., **si está con ellos.**

Page 47. — 6-7. **no sosiega ... envilecido = el que ve el blasón de su prosapia envilecido no sosiega ...**

13. **¡ Que se escapara,** *To think that he should have escaped.*

20. **Que levanten esas tiendas,** *Let them strike tents.*

Page 48. — 2. **que nos hacían gran falta,** *whom we needed badly.*

15. **¿ Y por qué arman ese alboroto?** *And why are they raising this disturbance?*

Page 49. — 15. **Vengo, señor, de Vizcaya.** In the opera the gypsy's pleading, the count's threatening anger and triumph, together with the accompaniment of the chorus, combine to make a moving and dramatic ensemble, *Giorni poveri vivea* (In Despair I Seek My Son).

Page 50. — 20. **¿ Irte?** *That you may go? Let you go?*

Page 51. — 8. **que llevan a morir a tu madre,** *they are taking your mother to her death.*

18. **respondéis,** i.e., **responderéis.** Cf. note to page 29, line 16.

Page 52. — 11. **Duerme,** imperative. Leonor is addressing Manrique, who is sleeping in the adjacent room.

Page 54. — 4. **a contártelo yo,** *if I were to tell you.* The infinitive preceded by **a** often takes the place of the protasis or condition in a conditional sentence.

6. **un sueño.** Manrique's gloomy dream, though having no importance in the solution of the drama, is of considerable dramatic value as it foreshadows the catastrophe and serves to increase the interest and suspense of the spectators. The phantom of the dream (line 27) is Azucena, and the change of Leonor in the dream foreshadows her death in Act V.

Page 55. — 15. **al tocarle osado,** *upon boldly touching it.*

18-19. **mi cabeza hecha estaba un volcán,** *my head was (seething) like a volcano.*

27. **Tiemblo perderte,** *I tremble for fear of losing you.*

Page 56. — 5. **todo lo lleva.** When **todo,** used absolutely as a neuter, occurs as the logical object of a verb, the pronoun **lo** may be added as the grammatical object, just as " it " is commonly added in English.

20. **puntas de hechicera.** Cf. **ribetes de bruja,** page 3, line 13.

Page 57. — ESCENA VIII. In the opera Manrique sings a tender farewell to Leonor before he departs to repel his rival's assault, *Ah, sì, ben mio* (The Vows We Fondly Plighted).

3. **Un secreto, Leonor.** Now there is a truly tragic conflict between Manrique's past and his present. As one would naturally expect, Manrique will stop at nothing to save his mother. Yet, after all he has gone through to win Leonor, he stands in danger of losing her — so he thinks — because he is the son of a gypsy. His past life seems to be against him; in vain does he try to free himself from the fatality which pursues him.

14. **¡ Eso me faltaba !** *That is more than I can stand!* Literally, ' That was all that was needed (or, lacking) to cap the climax of my misfortunes.'

16. **yo no debía engañarte,** *I should not have deceived you.*

Page 58. — 3. **Si necesitas mi sangre.** Leonor once more gives evidence of her unselfish, self-sacrificing love for Manrique in her willingness to give up her life for him, if necessary. Observe how these lines are prophetic. They remind us of Romeo's misgivings, Act I, Sc. V: 106–111:

> I fear, too early: for my mind misgives
> Some consequence, yet hanging in the stars,
> Shall bitterly begin his fearful date
> With this night's revels, and expire the term
> Of a despised life closed in my breast,
> By some vile forfeit of untimely death.

25. **fratricida.** Leonor uses this word in a general sense (i.e., Spaniard against Spaniard), of course not knowing the specific sense which the spectator may apply to it — Manrique and Don Nuño are brothers.

27. **amenazare,** *threatens.* Future subjunctive.

Page 59. — 7. **Venir tú,** *You come?*
ESCENA IX. Another gloomy foreboding, foreshadowing the catastrophe. In the opera Manrique sings *Di quella pira* (Tremble, Ye Tyrants), in which he gives vent to his rage against the count, vowing to kill him and his followers and free his mother.

26. **por tu amor,** *for your love* (to me), i.e., through your loving mercy.

Page 60. — JORNADA QUINTA. The fourth and last act of the opera is divided into two scenes. The first corresponds to our Act V, Scene I, and the second to our Act V, Scene VI. In the first scene Manrique, defeated by the count's men, and Azucena, are confined in a dungeon in the Aljafería. Hither Leonor has come to be near her beloved, and she now sings the plaintive and melodious *D'amor sull' ali rosee* (Love, Fly on Rosy Pinions), which reveals her heartfelt grief for the sorrows she can not relieve.

11. **que no vale seis cornados.** Ruiz is complaining because he has had to pay a high price for the bottle.

13. **El precio nada te importe,** *Don't worry about the price* (you paid for it).

Page 61. — 2. **que me ahorquen,** *I'll let them hang me* (before I leave you alone).

26. **Ne te asombre,** *Don't be surprised.*

Page 62. Haga bien para hacer bien por el alma, literally, ' Do good that good be done for the soul.' Translate, *Pray for the soul.* This is part of the prayer recited for those about to die: *Pray that peace may attend a soul departing.* The fatal sound of this prayer has a genuine dramatic thrill; we can sense the impending calamity. While we may expect Leonor to make an effort to save Manrique, we feel that the troubadour is doomed. At this point in the opera we have Verdi's most famous operatic scene — the *Miserere* — the prayer mentioned above — interrupted at intervals by Manrique's well-known aria, *Ah! che la morte ognora* (Ah, I Have Sighed to Rest Me).

11. ¡ **Si no fuera tiempo ya!** *What if it were too late now!*

12. **Al querer,** *Just as she is about* (to).

22–23. ¡ **Si . . . pedir!** *If he could only see me in such affliction, praying to Heaven for him!*

30. ¡ **Que . . .,** i.e., the idea that.

Page 63. — 18. **responde,** present for future.

21. **Ya no puedo ser del conde.** We are reminded here of Juliet's taking the sleeping potion and procuring a dagger in case the drugs failed, Act IV, Sc. III, 29–33:

> Come, vial.
> What if this mixture do not work at all?
> Shall I be married then to-morrow morning?
> No, no: this shall forbid it. Lie thou there.
>   (*Laying down a dagger*)

and Romeo's suicide, Act V, Sc. I, 85–86:

> Come, cordial and not poison, go with me
> To Juliet's grave; for there I must use thee.

Page 64. — 15. **Valencia.** Since the thirteenth century the kingdom of Valencia had been incorporated with that of Aragon. At the time of *El Trovador* civil war was raging in both kingdoms.

Page 65. — 20. **no fuera,** *I would not have been.*

Page 66. — 8. **Y bien,** i.e., **Muy bien.**
22. **Como su madre,** i.e., Azucena's.

Page 67. — 1-2. **si pude ofenderos,** *if I offended you* (in any way, I did not mean to do it).
4. **hace que se va,** *starts to go.*
5. **se me olvidaba con,** *I forgot (something) on account of.*
ESCENA V. — This is another example of suspense before the catastrophe. For a few moments the spectators have the prospect of a happy solution of the drama; perhaps Manrique, after finding out that his beloved has poisoned herself, will accept his freedom and go away with his mother.

Page 68. — 23. **¿ La tuviste tú de mí?** i.e., **¿ Tuviste tú piedad de mí?** Leonor, in extreme despair, makes one last effort to save Manrique. This situation gives opportunity, in the opera, for another wonderful duet of a most thrilling character, *Mira, d'acerbe lagrime!* (Oh! Let My Tears Implore Thee).
24. **Por todo un Dios,** *I implore you in the name of God.*

Page 72. — 14. **Por favor,** *Please* (do not talk that way).
21. **se acaba por instantes,** *is slowly ebbing away.*
32. **¿ Y tendrán valor?** *Will they have the courage?* i.e., Will they be so heartless?

Page 73. — 1. **lo.** It refers to **valor.** Translate, *they were heartless toward . . .*

2. The Bonilla y San Martín edition has the following lines after **tormento**: ¡ **la hoguera! no sé qué tiene de feroz esa palabra, que me hiela** ... *the stake! That word has something terrible about it that chills me.*

7. **iba.** The past participle with **ir** is used for vividness.

24. **eso querría,** *I should like to.*

25. **¿ Y si durmiendo me llevan a la hoguera?** Azucena, in terror, falls overcome into the arms of Manrique as he is trying to soothe her. In the opera he conducts her to a cot, where she sings, *Sì, la stanchezza m'opprime* (Yes, I Will Rest Me), which is followed by Manrique's *Riposa, o madre* (Sleep, Oh My Mother). The troubadour is watching over the gypsy, whose strength is fast ebbing away and who is full of vague terrors. He endeavors to soothe her fears. A fierce and avenging gypsy no longer, but a broken woman whose consuming passions of remorse and revenge have died away, Azucena dreams of the happy days of freedom gone by. Between sleeping and waking she commences the famous duet *Ai nostri monti* (Home to Our Mountains). This corresponds to the speech in lines 5–7, page 74, of our play.

Page 75. — 8. **¿ Esto más?** *And this (to cap my misfortunes)!*

13–14. **No quiero la libertad a tanta costa comprada.** Notice the emphasis laid upon the honor of women. Manrique typifies the real Spanish hero to whom the honor of his betrothed is more sacred than life itself. No wonder, then, that he prefers death when he finds his liberty to have been purchased at the cost of a happiness which is dearer to him than his own life.

25. **¿ Qué debí hacer?** *What should I have done?*

Page 76. — 10. **De un hijo tierno a la fe = A la fe de un hijo tierno.**

15. ¡ **Si vieras,** *If you could only see.*

Page 77. — 27. **por el** ... , i.e., **por el amor de Él (Jesús)** ...

Page 78 — 7. ¡ **adi** ...**ós!** The death of the innocent Leonor is pathetic, and evokes our pity. Retribution plays no part in her death. By her unmerited sufferings we are impressed with the fact that Azucena's inaction — she could have saved Manrique's life by revealing the secret of his identity — have tragic results outside her own life. Leonor's love was all to her; it guided all her actions. Without Manrique, therefore, life could mean nothing to her; it would have been aimless, hopeless, empty. She died a martyr to her love and, like Juliet, she knew a place where mortal persecution would no longer follow her. The pathos of her death recalls to our mind many of Shakespeare's heroines — Cordelia, Juliet, Ophelia, Desdemona.

Page 79. — 15-16. **¡ Si yo pudiera ocultarla a sus ojos!** *Oh, if I could only hide her from their sight!*

Page 80. — 11. **Muy pronto, sí.** Outwardly, there is disaster, ruin; inwardly, there is triumph, victory. Honor is not lost!

22. **No, madre.** Azucena is addressing her own mother. Cf. page 34, lines 3-10.

Page 81. — 4. **Haz que suspendan el suplicio un momento.** Azucena does not have the courage to see Manrique die and is going to reveal his identity in order to prevent the execution, but she is too late. Nemesis, or retribution, now has its full sway. In the mortal conflict in Azucena's soul, her mother love for Manrique has won over the vengeance which she had sworn her mother. Consequently, the tragic ruin into which she has plunged Manrique is a just recompense for her failure to avenge her mother's death. Retribution has had its full pay here just as it did with Hamlet for his failure to avenge his father's death.

14. **¡ Mi hermano, maldición !** These words serve to awaken our sympathy for Don Nuño who now realizes that Manrique was his brother. — **¡ Ya estás vengada !** A last despairing cry of Azucena addressed to her mother and showing at what a cost to her vengeance has been.

15. **espira.** Artistically, the death of Leonor, Manrique and Azucena is indispensable, for their fall was latent with their deeds, penalties for errors being just as inevitable as for crimes. Only by the death of all three can the requirements of poetic or artistic justice and the fitness of things be satisfied, their sufferings being in accord with the experience of life. On the whole, the catastrophe of this play is not so tragic as it is pathetic. The deaths of Leonor and Manrique evoke pity, and that of

Azucena evokes sympathy for her struggle between duty to avenge her mother and her love for Manrique. Manrique committed the error of inaction in that he did not kill his rival when he had an opportunity to do so in the duel, thereby involving Leonor in the consequences of his fatal error; Azucena was twice guilty of the crime of hesitation, and she suffers remorse. Manrique and Leonor can truly say with Cordelia:

> "We are not the first
> Who with best meaning have incurred the worst."

and with Cleopatra:

> "Some innocents 'scape not the thunderbolt."

VOCABULARIO

VOCABULARIO

A

a to, at; in; for; by

abandonar to abandon, leave behind, desert

abierto *past part. of* **abrir**; *adj.* open

abismo *m.* abyss, chasm; — **abierto** yawning chasm

aborrecer to abhor, hate, detest, despise

aborrecido, –a boresome, hateful

abrasador, –ora burning

abrasar (de) to burn (with), burn up

abrazar to embrace

abrigar to shelter, harbor

abrir to open; —**se** open

abuela *f.* grandmother.

abultarse to grow, increase; become magnified *or* exaggerated

aburrir to bore; tire; —**se (de)** tire (of), become tired (of)

acá hither, here; **hacia** —, this way

acabar to finish; — **de** ... have just ... ; —**se** finish, end; ebb away; grow feeble

acariciar to caress, fondle

acaso perhaps, perchance

acaudillar to lead, command

acción *f.* action

aceite *m.* oil

acendrado, –a purified, stainless, spotless

acendrar to purify

acento *m.* accent, sound, tone; **con un** — ... in a ... tone

acerca de about, concerning

acercarse (a) to draw near, approach

acero *m.* steel; sword

acompañado, –a (de) to the accompaniment (of)

acompañar to accompany, go (come) with

acongojado, –a afflicted, troubled

acontecimiento *m.* event, happening

acordar to remind; —**se de** remember

acto *m* act

actor *m.* actor

acusar to accuse

achicharrado, –a burnt to a crisp, crisp, charred

achicharrar to burn to a crisp, char

adelante forward, onward; (*in commands*) go on, continue

adentro within; back-stage

adiós good-by; **quedarse** —, to remain in God's care, good-by; — **os quedad** good-by

adivinar to guess, conjecture

admiración *f.* admiration, wonder, surprise

admirar to astonish, surprise; admire

admitir to admit, grant, accept

adonde where, whither; **¿ adónde ?** where ? whither ?

adorar to adore

adverbio *m.* adverb

advertir to notice; warn, advise; remember; take care

afán *m.* trouble, anxiety; eagerness, longing; deep desire

afectado, –a affected, moved

afecto *m.* affection

aflicción *f.* affliction, grief, sorrow

afligido, –a afflicted, grieved

afligir to afflict, grieve, torment

afortunado, –a fortunate

agitación *f.* agitation, nervousness

agonía *f.* agony; death struggle

agotar to exhaust, play out

agradar to please

agua *f.* water

aguardar to expect, wait (for)

agudo, –a acute

ahí there

ahogado, –a choking

ahogar to choke; **—se** choke, suffocate

ahora now

ahorcado, –a hanged

ahorcar to hang

aire *m.* air, breeze

al = a + el to the; **—** + *inf.* on –ing

ala *f.* wing

alarmar to alarm

alba *f.* dawn

alborotado, –a disturbed, turbulent, restless

alboroto *m.* disturbance; **armar —,** to create a disturbance

albricias *f.* good news

alcalde *m.* mayor

alcanzar to reach, attain (to); avail; get hold of

alcázar *m.* palace, castle

alcoba *f.* bedroom

alegrarse (de) to rejoice (at), be happy, be glad; **¡ cuánto me alegro !** how glad I am (of it) !

alegría *f.* happiness, joy

alejar to remove; **—se** go away, withdraw

alentar to breathe

algazara *f.* hubbub, noise, shouting

algo something, anything; **tener en —,** to value; *adv.* somewhat

alguien some one, anyone

algún, alguno, –a some, any; some one, anyone

aliviar to relieve, ease, lighten

Aljafería *an ancient Moorish castle which, when the Spaniards took Saragossa, became the residence of the kings of Spain, and later, the palace of the Inquisition. Today it is a barracks. The visitor to this building is shown the "torreta" or tower, supposed to be the dungeon in which Manrique was imprisoned.*

alma *f.* soul, mind; **con el —,** with all one's heart

altar *m.* altar

Alteza *f.* Highness

alto, –a high, tall, lofty

altura *f.* height

aludir to allude

alumbrar to light, light up, kindle, reveal; **— a** turn the light on alzar to raise; —se rise, get up

allá there, thither, yonder

allí there; por —, thereabout, there

amante m. lover; adj. loving, lovingly, beloved

amar to love

amargura f. bitterness

amarillento, –a yellowish

ambición f. ambition, desire

ambicionar to covet, desire, crave, long for

amenazar to threaten

amenguar to diminish, belittle; defame, dishonor

amiga f. friend; dear

amigo m. friend

amo m. master, lord

amor m. love; —es love, love-making, wooing, love affairs, love pleadings

amoroso, –a loving, lovingly

andar to move about; go, walk; — en retar speak haughtily

anduv– preterit stem of andar

ángel m. angel

angustia f. anguish

anhelante longing, anxious

anhelar to long (for), be anxious (to), desire, crave

animalejo m. ugly (little) animal

anoche last night

ansioso,–a anxious, eager

antaño m. yesteryear, last year; en tiempos de —, last year; in times gone by

ante prep. before, in front of

anterior former; earlier

antes adv. before; rather; — que rather than

anunciar to announce, tell, inform; foretell

añadir to add

año m. year; el — pasado last year; por los —s de ... about the year...; tener (contar) ... —s to be ... years old; hace un —, a year ago, it has been a year; un — hará it is about a year, a year ago, for about a year

apacible gentle, calm, serene

apagado, –a extinguished; out

apagar to extinguish

aparecer to appear

apartar to withdraw, leave; take off, remove; set aside; put away; —se withdraw, go away; — de la vista take out of sight; — los ojos de turn one's gaze from

aparte aside

apellido m. family name, surname

apenas, hardly, scarcely

apetecer to yearn (for), long for, crave; seek

apetecido, –a yearned (for), longed for

apiadar to move to pity

apoderarse (de) to get possession (of); take hold (of), seize

apostar to wager; — a que wager that

apoyado, –a (de) supported (by); leaning (on)

apoyar to support; —se en lean against, rest on

apoyo m. support

apreciar to esteem, treasure, appreciate, value

aprecio m. esteem, regard, appreciation

aprobar to approve (of)

aprobatorio, –a approving

apuesto, –a elegant

apurar to drain

aquel, aquella *adj.* that

aquél, aquélla that one, the one

aquello that

aquí here; **por —**, hereabout, this way; **hacia —**, here, this way

ara *f.* altar

Aragón *at present a province in the northeastern part of Spain, whose capital is Saragossa. During the Middle Ages it was one of the two chief Christian states of Spain*

arañar to scratch, claw

arder to burn

argumento *m.* argument, plot (*of a story*)

árido, –a arid, barren

arma *f.* arm, weapon; **—s** arms, coat-of-arms; **escudo de —s** coat-of-arms

armado, –a armed

armar to arm; stir up; **— alboroto** create a disturbance

arrancado, –a torn (from), wrested

arrancar to tear (from), wrest; draw out (of)

arrastrar to drag

arrebatar to carry off; snatch; drag away

arrepentirse to repent, be sorry

arriesgado, –a dangerous, risky

arrodillado, –a kneeling, on one's knees

arrodillarse to fall on one's knees, kneel; **arrodillándose** in the act of kneeling

arrojar to hurl, throw down; dismiss, send away, drive away; **— del corazón** put out of one's mind, forget

arrojo *m.* fearlessness, intrepidity

arrostrar to face cheerfully

Artal *family name of Nuño*

arte *m. or f.* art

arzobispo *m.* archbishop

asediar to besiege

asegurar to assert, affirm, assure

asentar to sit down, be seated

asesino *m.* assassin, murderer

así thus, like this; **— como** just as

asiento *m.* seat

asir to seize, grasp

asomarse to appear; **— a** look out of

asombrarse to be astonished, be frightened

aspereza *f.* harshness; **con —**, harshly, roughly

atacar to attack, assault

atado, –a bound

ataque *m.* attack, assault

atar to bind

ataúd *m.* coffin

atemorizar to terrify

atenacear to torture with pincers

atención *f.* attention

aterrar to terrify, appal; destroy

atormentar to torment, torture

atrapar to catch, nab

atravesar to cross, traverse

atreverse (a) to dare (to)

atrevido, –a bold, daring; **ser — a** to dare to

atroz cruel, fierce, terrible, atrocious

audacia *f.* boldness, daring, audacity

aumentar to increase

aun, aún yet, still, even

aunque although, even though

aura *f.* breeze

aureola *f.* halo

aurora *f.* dawn

avanzar to advance

avisar to inform, advise, give notice, warn, give warning

¡ ay ! alas ! oh ! ¡ — **de . . . !** alas for . . . ! ¡ — **Dios !** *or* ¡ — **cielo !** alas! Heavens!

aya *f.* nurse

ayer yesterday

ayuda *f.* help, aid — **de cámara** valet

ayudar to help, aid

azaroso, –a ominous

azorado, –a terrified

B

baile *m.* ball

bajar to descend, come *or* go down; — **la escalera** go down stairs

bajo, –a low; *adv.* under, below, beneath

baldón *m.* insult, wrong, infamy

ballestero *m.* archer

bando *m.* band, company, faction

bañado, –a bathed

bañar to bathe

bárbaro *m.* barbarian; *adj.* barbarous, fierce, cruel, heartless

barón *m.* baron

bastante sufficient, enough; rather

bastar to suffice, be enough; **bástate** suffice (it)

belleza *f.* beauty

bello, –a beautiful

bendecir to bless, praise; give one's blessing

besar to kiss

beso *m.* kiss

bien *m.* good, welfare, safety, well-being; object of love; **mi** —, my dear, my beloved, my love

bien well, good; very; **más** —, preferably, rather; **ser** —, to be meet; **pues** —, very well; **está** —, all right; — **venido** welcome; **y** —, very well

bizarría *f.* gallantry

blasón *m.* blazon, coat-of-arms, heraldry; — **de armas** escutcheon

boca *f.* mouth

bondad *f.* kindness, bounty

borrar to efface, erase; —**se** become effaced

bote *m.* thrust, blow

bóveda *f.* vault

bramar to roar

brazo *m.* arm

breve short, brief

brillante brilliant, illustrious

brillar to flash, gleam, shine, glisten

brillo *m.* splendor, brilliancy, lustre, flash, gleam

bruja *f.* witch; **ribetes de** —, earmarks of a witch

buen, bueno, –a good, well; **sentirse** —, to feel well; —**as noches** good night

buho *m.* horned owl; **en** —, in the shape of a horned owl

burlar to mock, scoff; —**se (de)** make fun (of), mock; scoff (at), jest

busca *f.* search; pursuit; **en**

nuestra —, in search of us,
in our pursuit
buscar to seek, look for; **venir a** —, come after; **ir** *or*
salir a —, go after

C

caballeresco, -a chivalrous, of
chivalry
caballero, -a riding, mounted;
n.m. gentleman; knight; sir
caballo *m.* horse; **a** —, on
horseback
cabaña *f.* cabin, hut
cabello *m.* hair
cabeza *f.* head
cacería *f.* hunting party
cada each, every
cadalso *m.* scaffold
cadáver *m.* corpse, dead body
cadena *f.* chain
caer to fall; — **a** open *or* look
upon, face
calabozo *m.* dungeon
calma *f.* calm, calmness, peace;
composure
calmar to calm, soothe, ease
callar to be quiet, be silent,
hush; **¡ calle !** why ! well !
calle *f.* street; — **corta** drop
scene (*showing a street*)
cámara *f.* chamber, room;
ayuda de —, valet
cambio *m.* change
caminar to walk, go
camino *m.* road, way; **en el** —,
as we were going along
campamento *m.* encampment,
camp
campo *m.* field; camp; country, open air
canción *f.* song

cantar to sing; — **un responso**
chant
cántico *m.* song, singing
canto *m.* song, chant
cantor *m.* singer
captura *f.* arrest, capture
cara *f.* face
caricia *f.* caress
cariño *m.* affection
carne *f.* flesh; **despegarse la** —
a uno to have one's flesh
creep
casa *f.* house, home
casarse to marry
casi almost
¡ cáspita ! Heavens ! you don't
say !
Castellar *a castle about fifteen
miles west of Saragossa*
castigar to punish
Castilla *so named from the number of its frontier castles.
Castile was formerly a kingdom in the north central part
of Spain, which in time
absorbed the other Christian
Spanish kingdoms. In 1469
Isabel of Castile married
Ferdinand of Aragon, and
after 1479, when Ferdinand
became king of his realm, the
two kingdoms were united.*
castillo *m.* castle
catalán *m.* Catalan, Catalo-
nian (*inhabitant of Catalo-
nia, in northeastern Spain.
Though less fertile than most of
Spain, this region stands pre-
eminent for the industry of its
inhabitants*)
caudillo *m.* leader, chieftain
causa *f.* cause
causar to cause, be the cause of

cay– *preterit stem of the 3rd per. sing. and pl. of* caer
cegar to blind
celada *f.* helmet
celda *f.* cell (*of a convent*)
celeste celestial, heavenly
celestial celestial, heavenly
celo *m.* zeal, ardor; **—s** jealousy, suspicions
celoso, –a jealous
cerca near, close, close to; about, almost
cerco *m.* blockade; **poner — a** to lay siege to
ceremonia *f.* ceremony
cerrado, –a closed, locked
cerrar to close, lock
cerrojo *m.* bolt
cesar to cease, stop
ciego *m.* blind
cielo *m.* heaven, sky; **¡ vive el —!** by Heaven! **¡ ay —!** alas! **¡ guárdeos el —!** Heaven keep you!
cien, ciento one hundred; **— y —,** hundreds of
cierto, –a certain, a certain, sure; true; **por —,** certainly, to be sure
cinco five
ciudad *f.* city
clamor *m.* lament, cry, call
clarín *m.* clarion, trumpet
claustro *m.* cloister
clavar to thrust, cleave; fix
cobarde *m.* coward; *adj. & adv.* cowardly
coger to catch, take, seize, capture
colmar to fulfill, overwhelm
colmo *m.* apex; height; climax
colocar to place
combate *m.* combat, fight

combatir to combat, fight; **— osado** dare fight
comienzo *m.* beginning
como as, like; since, then; **— que** since; **— si** as if, as though; **tal —,** as... as; **¡ cómo !** how ! **¿ cómo ?** how ? why ?
compadecer to pity, feel sorry for, have compassion on
compañía *f.* company
compasión *f.* pity, compassion; **por —,** in the name of mercy, for pity's sake; **sin —,** pitilessly
complacer to please; **—se** be pleased
componer to compose
comprar to buy
comprender to understand
común common
comunicar to comunicate
con with, by, to; (*with nouns often translated*) –ly
concluída *f.* end, conclusion
concluír to end, finish, conclude
conde *m.* count; **los —s de Luna** family of the Count de Luna
condenar to condemn; **— sin culpa** condemn wrongly
conducido, –a led
conducir to lead, conduct
conduj– *preterit stem of* conducir
confesar to confess
confeso *m.* confessed criminal
confianza *f.* confidence
confiar to confide, trust, entrust
confundir to confound, confuse; mingle; punish
confusamente confusedly; indistinctly, faintly

conjuración *f.* conspiracy, plot

conmigo with me

conocer to know, be acquainted (with); recognize; — **mal** not to know well; **hacer** —, make ... realize; — **por su persona** know personally

conquistar to conquer, win

consagrado, –a consecrated, devoted

consagrar to consecrate, devote

conseguir to accomplish; succeed; get; obtain

consejo *m.* counsel, advice

consentir (en) to consent (to)

consigo with oneself

consiguiente: **de** —, consequently, therefore; **por** —, consequently, therefore

consolar to console, comfort

constante constant, faithful

consternado, –a (con) in consternation (at), terrified, frightened

consternarse to be in consternation, become frightened *or* confused

construcción *f.* construction, order

consuelo *m.* consolation, satisfaction; **sin** —, disconsolately, bitterly

consumar to carry out, consummate, finish

consumir to consume

contar to tell, relate, recount; count; — **con** count on, rely on; — ... **años** be . . years old

contemplar to contemplate, behold

contenido, –a contained

contentar to content, satisfy; —**se** be content(ed)

contento, –a happy, content(ed)

contestar to answer

contigo with you

continuamente continually

contra against

contraer to contract, contort

contraído, –a contracted, contorted

contrario *m.* opponent, adversary; obstacle

convento *m.* convent; **lo del** —, life in a convent

convertir to convert, turn

convulsión *f.* convulsion; agitation

convulsivo, –a convulsive

convulso, –a convulsed

corazón *m.* heart; **arrojar del** —, to forget; **calma del** —, peace of mind

cornado *an old Spanish coin of little value*

corona *f.* crown; wreath; kingdom

corredor *m.* courier, scout

correr to run

cortar to cut, cut off

corto, –a short, small, little; **calle** —**a** drop scene; **escena** —**a** drop scene

cosa *f.* thing; **ser** — **de** to be the matter of; **no hacer otra** — **que** do nothing but

costa *f.* cost, price; **a tanta** —, at such a price

costar to cost

crecer to grow, increase

creer to believe, think

cresta *f.* crest, summit

creyendo *pres. part. of* **creer**

creyera *impf. subj. of* **creer** would believe

criado, –a servant

criatura *f.* child, baby; creature

crimen *m.* crime

criminal criminal, wicked, guilty

Cristo Christ; ¡ **por** —! by Heaven !

crítico, –a critical, tense

crucifijo *m.* crucifix

cruel cruel, heartless

crueldad *f.* cruelty

cruz *f.* cross

cruzar to cross, flash

cual like, how; **el** *or* **la** —, who, which, he *or* she who; **lo** —, which; **para lo** —, for which (purpose); ¿ **cuál**? which ? what ?

cualquier, cualquiera any, any … (whatever); anyone, anybody; —**a parte** anywhere

cuando when; ¿ **cuándo**? when ?

cuanto, –a as much as; all that; **en** — **a** in regard to, as for; ¡ **cuánto**! how ! how much ! ¿ **cuánto**? how much ? —**s** as many as; all that

cuarenta forty

cuarto *m.* room

cubierto, –a **(de)** covered (with)

cubrir to cover

cuchilla *f.* large knife; blade; sword

cuchillo *m.* knife; **llevar a** —, to put to the sword

cuello *m.* neck

cuenta *f.* account; **tener** —, to consider, realize; take care; **dar** —, report, inform

cuento *m.* story, tale; **al** —, (on with) the story

cuerda *f.* cord, rope

cuerpo *m.* body

cuervo *m.* crow

cuidadoso, –a anxious, careful

cuidar to take care, heed; ¡ **cuidad**! remember ! take care !

cuitado, –a anxious; grieved; miserable, wretched

cuja *f.* scabbard

culpa *f.* blame, guilt, fault; **sin** —, guiltless, blameless; **condenar sin** —, to condemn wrongly

cumplir to fulfill, comply with, carry out; keep (one's word)

cuna *f.* cradle; family, lineage

curar to cure, mend; —**se** heal

curiosidad *f.* curiosity

curioso, –a curious, odd

custodia *f.* guard, custody

custodiar to guard, keep, place in custody

Ch

chico *m.* little boy, youngster

chillido *m.* shriek, scream; **lanzar un** —, to let out a scream, scream

chillino *m.* shriek, scream

D

D. = **don** Don (*do not translate*)

dama *f.* lady

daño *m.* harm, injury; **hacer** —, to harm

dar to give; strike; —**os** give you; —**en** insist on; — **cuenta** inform

de of, from, to, on, by; (*before numerals*) than

dé *pres. subj. of* **dar**

debajo under, underneath, below; — **de** under, below

deber *m.* duty

deber must, ought, to be (about) to; have to; owe; — **de** must; **debe** (de) **haber** there must be; **le debieron de matar** they must have killed him

débil weak

decidir to decide, determine; —**se a** decide to

decir to say, tell, speak, relate; mean; — **bien,** be right; — **para mí** (**sí**) say to myself (oneself); **di** tell (me); —**se** be said; **no hay más** —, you need say no more; **es** —, that is to say

defender to protect

dejar to leave, let, allow; — **de** cease, fail; stop; — **que** allow; — **abandonado, -a** abandon, forsake; **se dejan ver** are seen, can be seen

del = **de** + **el** of the, the . . .'s

delante before; — **de** before, in front of

delicia *f.* delight, satisfaction, joy

delincuente delinquent, offending

delirio *m.* madness, frenzy, delirium

delito *m.* crime

demandar to ask (for), demand

demás *adv.* besides; *adj.* **lo** —, the rest; **en cuanto a lo** —, as to the rest, in other respects

demasiado too, too much

dentro within; backstage; — **de** within; **a** —, within

depender to depend, rest upon; — **de** belong to

depositar to place, put

derecho, -a right; **la** —**a** the right hand; **a la** —**a** to *or* on the right

derramar to shed, spill

derredor: en —, around, round about

desaparecer to disappear

desarmar to disarm; dispel the wrath (of)

desatentado, -a frantic, frenzied, blind; impudent

descansar to rest

desconocido, -a unknown, strange

descubrir to discover, find out, disclose, discern; take off one's hat *or* veil, etc.; uncover

desde since, from

desdén *m.* scorn, contempt, disdain

desdichado, -a unhappy, wretched

desear to desire, wish, want

desencajado, -a bulging, protruding

desentonado, -a harsh, shrill, discordant

desenvainar to unsheath

deseo *m.* desire, wish

desesperación *f.* despair, anger, rage

desesperado, -a despairing, raging, maddening, desperate, furious; hopeless

desgraciado, -a unfortunate, unhappy

desgreñado, –a disheveled

deshacer to destroy; diminish; —se crumble

deshizo *see* deshacer

desierto, –a deserted

designio *m.* plan, design

deslizarse to slip

desmayado, –a faint, in a faint, unconscious

desnudar to bare, unsheath

despacio slowly

despachar to dispatch; —se con presteza hurry (off), make haste

despegar to unfasten, loosen; —se separate; —se la carne have one's flesh creep

despejarse to (take one's) leave

desperado, –a despairing, hopeless

despertar to awaken, wake up

despiadado, –a pitiless, cruel

despierto, –a awake

desposorios *m.* act of betrothing

despreciable despicable, contemptible

despreciar to despise, scorn, disdain

desprecio *m.* scorn, contempt, disdain

después after, afterward, later; — de after

desque = desde que since

desvalido, –a helpless, destitute

desvarío *m.* delirium, raving, madness; ecstasy

desventura *f.* misfortune

desventurado, –a unfortunate, unhappy

detener to stop, detain; —se stop, halt

detestar to detest, despise

devorar to devour

di *impve. of* decir say, tell (me)

día *m.* day; de —, by day, daylight; al otro —, (on) the following day; a los pocos —s in a few days, a few days afterwards; ser de —, to be day; este —, today

diablo *m.* devil; ¡ —! the deuce !

diabólico, –a devilish

diadema *f.* diadem, crown

¡ diantre ! the deuce !

dicha *f.* happiness, good fortune, luck

dicho *past part. of* decir

dichoso, –a fortunate, happy; tenerse por —, to think oneself fortunate

Diego Diego, James

diera *imperf. subj. of* dar would give

diez ten

difunto *m.* dead person, deceased

digno, –a worthy

dij– *pret. and impf. subj. stem of* decir

dilación *f.* delay

dilatarse to delay, be delayed

dile = di + le tell him

diligencia *f.* diligence, endeavor, care

dime = di + me tell me

dió *3rd per. sing. pret. of* dar

Dios *m.* God; ¡ por —! by Heaven ! for Heaven's sake ! ¡ a —! good-by ! God keep you ! ¡ gran —! great Heavens ! irse con —, to go in God's care, good-by; ¡ ay —! alas ! esposa de —, nun;

¡ — mío! my Heavens! por todo un —, for Heaven's sake; gracias a —, thank Heaven; a — os quedad remain in God's care, good-by

dir– *fut. or condl. stem of* decir

dirigirse to direct oneself, go (towards)

disparate *m.* nonsense, absurdity

disponer to dispose, do as one wishes (*with some one or something*)

dispuesto, –a disposed, ready, resigned

distancia *f.* distance

distinguir to distinguish, discern, make out

diverso, –a different

divisar to espy, perceive; —se be seen, be espied

do where

doblar to double, bend, make bend

doble double

doler to move to sorrow *or* pity; duélaos . . . let . . . move you to pity

dolor *m.* grief, sorrow, pain

don Don (*don't translate*)

doncel *m.* youth, young man

donde where; ¿ dónde? where?

doña Doña (*don't translate*)

dorado, –a golden, gilded

dormir to sleep; —se fall asleep, go to sleep

dos two; los —, both, the two, we two

duda *f.* doubt; sin —, doubtless

dudar to doubt; hesitate

duélaos *see* doler

duelo *m.* duel

dueño *m.* master

dulce sweet, gentle

durar to last, endure; — poco not to last long

duro, –a harsh, cruel; harshly, cruelly

E

Ebro *a river in Spain which rises in the province of Santander, about twenty miles south of the Bay of Biscay, and after a southeastern course of about 500 miles, enters the Mediterranean. Saragossa is on the Ebro.*

echar to throw; — de menos miss

efectivamente in fact, really, actually

ejercicio *m.* exercise

ejército *m.* army

el the; — que he who, the one who

elevado, –a high, lofty

elevar to raise, elevate

ella she; her; it

ello *n.* it; todo —, all that

embargo: sin —, nevertheless, however

empeñarse to insist, persist

empeño *m.* insistence, eagerness

empezar (a) to begin (to)

emplear to employ, use

emponzoñado, –a poisoned

emponzoñar to poison

empujar to push, shove

en in, into, on, among

enajenado, –a enraptured, frenzied

enajenamiento *m.* rapture, frenzy

enamorado, –a (de) in love (with), enamoured (with); **los —s** (the) lovers, those in love

encanto *m.* charm, enchantment

encargar to charge, entrust

encender to kindle, light, set on fire, arouse

encendido, –a lighted, burning

encerrado, –a confined, closed, locked up

encerrar to confine, lock up

enconar to irritate, provoke

encontrar to find, meet; run across; **—se** be found

encubierto, –a covered, hidden; veiled; wrapped; cloaked

encuentro *m.* meeting

endecha *f.* dirge

endurecer to harden

endurecido, –a hardened

enemigo *m.* enemy; *adj.* hostile, inimical; **estrella —a,** unlucky star

enfermo, –a sick, ill

enfin finally, at last

enflaquecer to weaken, grow thin, fail (*in health*)

engañado, –a deceived, mistaken

engañar to deceive, trick; **—se** deceive oneself, be mistaken

engaño *m.* deceit, deception

engañoso, –a deceitful, deceiving

engordar to grow fat, grow stout

enlace *m.* alliance, union

enojado, –a angry, irritated, vexed

enojar to annoy, irritate, anger; **—se** become angry, become offended

enojo *m.* trouble, irritation, anger, worry

enrojecido, –a reddened, red-tinged; bloody

ensayo *m.* trial; **por vía de —,** preparatory to her going

enseñar to show

entender to listen, hear, understand; **—se** be understood, go without saying; **se entiende** that goes without saying; doubtless

enteramente entirely

entibiarse to become cool

entonces then

entrada *f.* entrance, entry

entrado, –a entered, advanced; **bien —,** well advanced, well on its way

entrar to enter, come *or* go in (to); **— a saco** sack; pillage, plunder; **—se** enter, gain entrance

entre between, among, amidst, in; **— tanto** meanwhile

entregar to give, deliver, offer

entristecer to make sad, grieve, afflict

envenenar to poison

envidiable enviable

envidiar to envy

envilecer to debase, vilify

envilecido, –a debased

envuelto, –a wrapped up, enveloped, enfolded

equivocar to mistake; **— ... con** mistake ... for; **—se** be mistaken

era *imperf. ind. of* **ser**

erizarse to stand on end

error *m.* error, mistake; fault

esa *f.* that; **ésa** that (one)

escalera *f.* staircase, stairs; **bajar la —,** to go down stairs

escaño *m.* bench

escapar to escape, flee; **—se** escape, flee

escarmiento *m.* warning; **para — de** as a warning to

escena *f.* scene; setting; stage; theater

esclarecido, –a illustrious, noble

esclava *f.* slave

esconder to hide, conceal

escuchar to listen (to), hear; **— mal** not to hear plainly, not to hear right

escudar to shield, guard

escudero *m.* squire

escudo *m.* shield, escutcheon, coat-of-arms; **— de armas** coat-of-arms

ese *m.* that; **ése** that (one)

eso *n.* that; **a —,** for that purpose *or* reason

espacio *m.* space; slowness; respect; **con más —,** more respectfully

espada *f.* sword

espalda *f.* shoulder; **por la —,** from behind, from the rear

espantar to frighten, terrify

espantoso, –a frightful, horrid

español Spanish

espectáculo *m.* spectacle, sight, scene

espectro *m.* specter

esperanza *f.* hope

esperar to expect, await, wait for; hope (for); **—se** wait; **espero saber** I should like to know

espesísimo, –a very thick

espeso, –a thick, dense

espiar to spy

espirar to expire, die

espiritual ghostly, ghastly; of spirits

esposa *f.* wife, bride; **— de Dios** nun

esqueleto *m.* skeleton

esta *f.* this; **ésta** this (one), the latter

estampar to stamp

estampido *m.* crash, noise

estar to be; be in, be there; **— hecho** be like, feel like; **— bueno** be well

este *m.* this; **éste** this (one), the latter

estimar to esteem, value

esto *n.* this

estorbar to disturb, hinder, prevent; be in one's way

estrechar to clasp, press

estrella *f.* star; **— enemiga** unlucky star

estremecer to tremble, shudder, shiver; **—se** tremble, be agitated

estrofa *f.* verse

estruendo *m.* clamor, noise

estupendo, –a marvelous, stupendous, wonderful

estuv– *pret. and impf. subj. stem of* **estar**

eternamente eternally, forever

eternidad *f.* eternity

eterno, –a eternal, incessant

evitar to avoid, shun

exclamar to exclaim, shout

exigir to demand, desire, wish

existencia *f.* existence, life

existir to exist, live

experimentar to experience; engage; attract; know

explorar to explore

exponer to expose

expresar to express

expresión *f.* expression

extasiado, -a enthusiastic, in ecstacy, enraptured

extasiarse to be enraptured, be transported

extrañar to wonder (at), be surprised

extraño, -a strange

extremo *m.* extreme; **con —,** extremely, in the extreme; **en —,** extremely

F

facciones *f.* features

fácil easy

facilidad *f.* ease, facility

fachada *f.* front, façade

falange *f.* phalanx

falaz deceitful

falso, -a false

falta *f.* lack; **hacer —,** to be lacking, be necessary; **a — de** for the lack of, for the want of; **que nos hacían gran —,** whom we needed badly

faltar to lack

familia *f.* family

fantasma *f.* phantom, ghost

fantástico, -a fantastic

fatal, fatal

fatídico, -a prophetic

favor *m.* favor; **por —,** please, for pity's sake

favorecer to favor

fe *f.* faith; **a —,** upon my word

felicidad *f.* happiness, joy

feliz happy, happily

felizmente happily

féretro *m.* coffin

feroz fierce, terrible, savage

ferreruelo *m.* cloak, mantle

fiar to trust, rely, confide

fiel faithful, loyal, true

figura *f.* form, figure, face; **bajo la — de** in the form or shape of

figurar to seem, imagine, appear; **—se** imagine; **—se ser** be imagined to be

fijar to fix, fasten; engage, attract; **—se en** settle, fix (one's glance on)

fin *m.* end; **al —,** finally, at last, to the last; **en —,** in short; **sin —,** endlessly

firmamento *m.* firmament

flor *f.* flower

florín florin (*so called because it has a fleur-de-lis; a coin of silver or gold, and of different value at different times, used formerly in Spain*)

fondo *m.* back (*of room, stage, etc.*)

forma *f.* form

fortuna *f.* fortune, chance, fate; **negra —,** evil fortune, bad luck

frase *f.* phrase, sentence

fratricida *adj.* fratricidal

frenético, -a wild, frantic, frenzied

frente *f.* brow, forehead; front; **por la —,** from the front

frío *m.* cold, coldness, chill; *adj.* **frío, -a** cold, chilly

fue– *impf. subj. stem of* ser *or* ir

fué *3rd per. sing. pret. of* ser *or* ir

fuego *m.* fire

fuera, –s *impf. subj. of* **ser** *or* **ir**

fuera *adv.* outside

fuerte strong

fuerza *f.* force, strength; **ser —,** to be necessary

fuese, –s *impf. subj. of* **ser** *or* **ir**

fuí *1st per. sing. pret. of* **ser** *or* **ir**

funesto, –a fatal, sad

furioso, –a furious, wild, mad

furor *m.* fury, rage, passion; **con —,** furiously

G

galán gallant

galantear to pay court, woo

galería *f.* corridor, hall

gana *f.* desire; **tener (buenas) —s** to want (badly), be (extremely) anxious, feel very much like . . .

garlito *m.* trap

gemido *m.* groan, moan

gente *f.* people; men, troops

gesto *m.* grimace, gesture

giro *m.* turn

gitana *f.* gypsy woman

gloria *f.* glory; **mi —,** my beloved, my dear one

gobernar to govern, rule

goces *pres. subj. of* **gozar**

golpe *m.* blow, thud

gotera *f.* gutter

gozar (de) to enjoy; rejoice; **—se** delight (in), rejoice

grabar to engrave

gracias *f.* thanks; **— á Dios** thank Heaven

gran, grande large, great, big; **— Dios** great Heavens

gratarse to be engraved, engrave itself

grato, –a pleasing, welcome, grateful

gravemente seriously, gravely

grillo *m.* bar, fetter, shackle

gritar to cry, shout, shriek

grito *m.* cry, shriek, shout

guardado, –a guarded

guardar to guard, keep; **guárdeos el cielo** Heaven preserve you; **guárdeos Dios** may God protect you

guerra *f.* war

guía *m. & f.* guide

guiar to guide; **—se por los consejos de uno** be guided by one's advice, take one's advice

guisa *f.* mode, manner, mood; **de mala —,** in a bad humor, ill-humored

gusto *m.* pleasure, joy; **dar —,** to be a pleasure

H

haber *aux.* to have; *impers.* be; **hay** there is, there are; **había** there was, there were; **hubo** there was, there were; **hay que** one must, it is necessary; **¿ qué hay?** what is the matter? **— de** (*often equivalent to a future*) have to, be to, must; **ha de** is going to, will; **con quien se las había** with whom she was dealing; **hubiera** had, would have; **debe de —,** there must be; **—selas con** have it out with, dispute with

habitación *f.* room

hablar to speak, talk, say; **— en** speak concerning

hacer to do, make, perform; — que cause, have, make, pretend; — mal do *or* be wrong; hace un año que it is *or* has been a year since, for a year, a year ago; hace muy cerca de it is almost; un año hará it is about a year, about a year ago; — mal de ojo a cast the evil eye upon; no — otra cosa que do nothing but; — falta be necessary, lack, need; que nos hacían gran falta whom we needed badly; — mal hurt, injure; —se justicia carry out the law; —se (de) become (of)

hacia towards; — aquí here, this way

hacha *f.* axe

halagar to caress, flatter, fondle; allure

halago *m.* caress

hallar to find; —se be

har– *fut. and condl. stem of* hacer

harapo *m.* rag, tatter

Haro *town of about* 8000 *and center of the famous vineyards of Rioja, about* 140 *miles north of Saragossa*

harto, –a more than enough, too much; full; *adv.* enough, too

hasta to, until, as far as, up to, even; — que until

hay there is, there are

haz *impve. of* hacer; — que let, have

hechicera *f.* witch; puntas de —, earmarks of a witch

hechizar to bewitch

hecho *past part. of* hacer

helado, –a frozen, cold, icy

helar to freeze, chill

herida *f.* wound

herir to strike, wound

hermana *f.* sister

hermano *m.* brother

hermoso, –a beautiful

hermosura *f.* beauty

hic– *pret. ind. and impf. subj. stem of* hacer

hidalgo *m.* noble, nobleman

hidalguía *f.* nobility

hielo *m.* coldness, chill

hierro *m.* iron; sword, weapon

hija *f.* daughter

hijo *m.* son; child

historia *f.* story, history

hizo 3rd *per. sing. pret. of* hacer

hoguera *f.* pyre, stake; fire; en la —, at the stake

hombre *m.* man

honor *m.* honor, fame

honrado, –a honorable

hora *f.* hour; time

horrendo, –a horrible, dreadful

horrible horrible

horrísono, –a terrifying, dreadful-sounding

horror *m.* horror; ¡qué —! how horrible!

horroroso, –a horrible, terrifying

hoy today; — mismo this very day

hub– *pret. ind. and impf. subj. stem of* haber

hueso *m.* bone

hueste *f.* army, host, people

huír to flee

humilde humble, lowly, plain

humillado, –a humbled; abused

humillar to humiliate, humble
humo *m.* smoke
huracán *m.* hurricane, tempest, storm
huyamos *1st per. pl. pres. subj. of* **huír** let us flee
huye *3rd per. sing. pres. ind., or impve. of* **huír**
huyendo *pres. part. of* **huír**

I

idea *f.* thought, idea
ídem *Latin* the same
idolatrar to idolize
idos *impve. of* **ir** + **os** go (away)
iglesia *f.* church
igual equal; **sin —,** unequaled, incomparable, without a rival.
ilusión *f.* illusion, dream
iluso, –a deluded, deceived
ilustre illustrious, famous
imagen *f.* image
imaginar to imagine, fancy
imbécil imbecile, fool
impaciencia *f.* impatience
impiedad *f.* impiety, wickedness, cruelty
impío, –a impious, cruel, merciless, wicked
implorar to implore, entreat
importar to matter, be of importance; care; **no importa** no matter; **¿qué me importa?** what do I care? **¿qué importara?** what would it matter?
importuno, –a importunate, troublesome
imposible impossible
imprevisto, –a unforeseen, unexpected

impunemente with impunity
impuro, –a impure, vile, low
inaudito, –a unheard-of
incomodar to incommode, bother, disturb
inconveniente *m.* inconvenience, discomfort, difficulty, impediment
incorporarse to rise; sit up
indiscreto, –a indiscreet, imprudent
indómito, –a wild
inesperado, –a unexpected, unforeseen
infame infamous, despicable, mean, low, vile
infamia *f.* infamy, meanness
infelice unhappy
infeliz unhappy
infernal hellish
infiel faithless, unfaithful, untrue
infierno *m.* hell
ingrato, –a ungrateful; *n.* ingrate
inhumano, –a inhuman, cruel
injusto, –a unjust; **— para** unjust to
inmediaciones *f.* vicinity, environs
inmediatamente immediately, at once
inmediato, –a adjacent, immediate
immortal immortal
inmundo, –a filthy, dirty, unclean
inocencia *f.* innocence
inocente innocent
inquietud *f.* restlessness, solitude, anxiety, worry
insano, –a insane, mad
insensato, –a foolish, mad

insolente insolent

instante *m.* instant; **por —s** gradually; **al —,** at once

instruír to instruct, acquaint (with), show

instruyendo *pres. part. of* **instruír**

insultar to insult

intento *m.* purpose, plan, intention

interior *m.* interior

interiormente inwardly, to oneself

internarse (en) to penetrate, go into

interrumpir to interrupt, disturb

intranquilo, -a restless, worried; out of one's mind

introducir to introduce; **—se** enter, gain entrance

ir to go, be; **—se** go away; **¿ quién va?** who goes there? **vamos** let us go; **¿ cómo os va?** how are you getting along? **—se con Dios** go in God's care, good-by

irritar to irritate, vex

Iscariote Iscariot; skinflint; traitor

izquierdo, -a left; **a la —a** to the left, on the left (hand)

J

¡ ja ! ha !

jamás never, ever

jardín *m.* garden

jarope *m.* potion; prescription

Jerusalén Jerusalem; **el de —,** = **el convento de —,** Convent of Jerusalem (*in the Calle de la Independencia, in the southern part of Saragossa*)

Jesucristo Jesus Christ

Jesús Jesus; (*in an exclamation, translate freely*) Heavens ! gracious ! etc.

jornada *f.* act

joven *m. & f.* young

Juan Juan, John

judío, -a Jew; cheat, skinflint; **— al fin** cheat after all; skinflint to the last

jugar to play; **— a la pelota** play ball

jum hum, hm

junto (a) near

juntos, -as together, united

juramento *m.* oath, vow

jurar to swear, vow, take oath, pledge

justicia *f.* justice; **hacerse —,** to carry out the law; *m.* magistrate; **— mayor** chief magistrate

juventud *f.* youth

juzgar to judge; suppose, think, consider

L

la the; her, it; **—s** the; those, the ones; them

labio *m.* lip

lado *m.* side; **a un —,** to the side, to one side, aside; **estar al — de** to be with; **a su —,** beside him; **al — de** on the side, on the one side, beside

lágrima *f.* tear

laguna *f.* lagoon, lake

lamento *m.* cry, wail

lámpara *f.* lamp

lance *m.* occurrence, event, happening

lanza *f.* lance; *m.* lancer

lanzar to utter; throw, hurl, cast (out); **—se** dart

largo, -a long

lastimoso, -a sad, mournful, melancholy

lateral lateral, (at the) side

latir to beat, palpitate

laúd *m.* lute

lavar to wash, wash away, cleanse

le him, to him; to her; it, to it

lechuza *f.* screech owl

legión *f.* legion

lejano, -a distant, remote, far away

lejos far, distant; **a lo —,** in the distance, far off; **de —,** from afar, at a distance

lengua *f.* tongue

levantar to raise; take up; **—se** rise, get up

ley *f.* law

libertad *f.* freedom, liberty; **estar en —,** to be free

libertar to free, set free

librar to free, liberate, deliver (from)

libre free, safe

lidiador, -a fighting

lidiar to fight

límite *m.* limit, bound; **sin —,** endless, boundless

liviandad *f.* madness; fickleness, imprudence

liviano, -a light, fickle; mad; imprudent

lo *n.* the; what is; it; him; **— que** what; as; how much, how; **— del convento** life in a convent, convent life

loco, -a mad, crazy, insane

locución *f.* expression

locura *f.* folly, madness

locutorio *m.* parlor (*in a monastery or convent*)

lograr to succeed

los the; them; the ones

lozanía *f.* elegance

lozano, -a sprightly, gallant, lively

luces *pl. of* **luz**

luciente shining, bright

lucha *f.* struggle, combat

luego then, soon, immediately, furthermore; **muy —,** very soon

lugar *m.* place; occasion

lúgubre sad, mournful, gloomy

Luna *a small town about* 30 *miles north of Saragossa*

luna *f.* moon; **a la —,** by *or* in the moonlight

luz *f.* light; **a la — de** by *or* in the light of; **ver la (primera) —,** to be born, first to see the light

Ll

llaga *f.* wound

llama *f.* flame

llamado, -a named, called

llamamiento *m.* call

llamar to call; name; knock; **mandar —,** send for

llanto *m.* weeping, tears

llave *f.* key

llegar to reach, get *or* come to; arrive; **— tarde** be late; **—se** get to, reach; near

llenar to fill

lleno, -a full; **— de** filled with, full of

llevar to bear, carry, take; (*in prices*) charge; take away

(from); —se carry away;
—lo todo al cuchillo put
all to the sword

llorar to weep, cry; — mucho
weep bitterly; — de cry for
or from

lloro m. weeping, tears

lloroso, –a tearful, weeping;
mournful, sorrowful

M

madre f. mother; — mía
mother of mine

madrugada f. dawn; a la —,
early in the morning, before
dawn

madurez f. wisdom, prudence;
pensar con —, to ponder
over, realize; con —, prudently

magia f. magic

mal adj. bad, evil, wicked; adv.
badly, wrongly

mal m. harm, ill, sorrow, misfortune; evil; por or para
mi —, to my sorrow; hacer
—, to be imprudent; hurt,
injure; — de ojo evil eye;
hacer — de ojo cast a spell

maldecir to curse

maldición f. malediction, curse;
de —, cursed

maldiga pres. subj. of maldecir

maldigo 1st per. pres. ind. of
maldecir

maldito, –a cursed, accursed

malo, –a bad, evil, wicked

malogrado, –a unfortunate, dis-
appointed.

maltratar to abuse, maltreat

mancha f. blot, stain

mandar to order, command; —
llamar send for

manera f. way, manner; de
ninguna —, by no means;
of no avail; no use

manifestar to show, manifest

mano f. hand

mansión f. abode

mañana f. morning; adv. tomorrow

maravedí a copper coin of olden
times, varying from a seventh
of a cent to a quarter of a dollar

marcha f. march; ponerse en
—, to start on a march, start
out

marchar to march; go, walk;
—se go away

marchitar to exhaust, wear
away or out

mármol m. marble

martirio m. martyrdom, torture

martirizar to torture

marzo m. March

mas but

más more, most; no — ...
que only; — de more than;
esto —, this too; poco — o
menos just about, more or
less; los —, most, the greater
part; — bien rather; a —,
besides

matar to kill

mayor older; larger, greater

mayorcito m. older child

me me, to me; myself, to
myself

medida f. measure; —s means

medio m. means, way

mejor better

mejorado, –a improved, better

mejorar to improve, get better

melancólico, -a melancholy, sorrowful, sad

melodía *f.* melody

memoria *f.* memory

menester *m.* need, necessity; **ser —**, to be necessary, must; **haber —**, need

menos less; except; **al —**, at least; **a lo —**, at least; **echar de —**, to miss; **no poder — de** not to be able to help, can not help

menospreciar to despise, disdain, contemn

mente *f.* mind, memory

menudo: a —, often, frequently

merecer to merit, deserve

mes *m.* month; **contar . . . —es** to be . . . months old

mesa *f.* table

meter to put, place

mi my

mí me; myself; **¡ ay de —!** woe is me! **para —**, to myself

miedo *m.* fear; **tener (un) —**, to be afraid

miembro *m.* limb (*of the body*)

mientra while, as long as

mientras while, as long as

mil thousand, a thousand, one thousand; **— y —**, thousands of

ministrar to minister, serve, supply

minuto *m.* minute

mío, -a my, mine; **el —, la mía** mine

mirada *f.* glance, look

mirar to look (at), behold; **— a** look towards *or* in the direction of

miserable wretched, low; *n.* wretch

miseria *f.* poverty, misery

mismo, -a same; own; self; very; **yo —**, I myself

misterioso, -a mysterious

modo *m.* manner, way; **de otro —**, otherwise; **de diverso —**, in a different way

molesto, -a troublesome, bothersome; **estar —**, to be in ill humor

momento *m.* moment, instant; **al —**, immediately, at once, right now; **en el —**, immediately; **ser cosa de un —**, to take only a moment

montaña *f.* mountain

monte *m.* mountain

moribundo, -a dying; waning

morir to die; **llevar a —**, take to one's death, be going to kill

mortal mortal

mostrar to show; **—se** appear

motivar to cause, occasion

motivo *m.* motive, reason, cause

mover to move; **—se** move

mozo *m.* youth, boy

mucho, -a much, a great deal; **—s** many; *adv.* much; very

muerte *f.* death; **dar la —**, to kill; **¿ de qué —?** what kind of a death?

muerto *past part. of* **morir** died; *adj.* dead

mujer *f.* woman

mundo *m.* world

muralla *f.* wall

murmurar to murmur

muro *m.* wall

música *f.* music

muy very, very much

N

nacer to be born

nada nothing; **no tengo —,** nothing is the matter with me

nadie no one, nobody

natural natural

necesario, -a necessary

necesidad *f.* necessity, need; **tener mucha —,** to need badly

necesitar to need, have need (of)

necio, -a fool; foolish, stupid

negar to deny

negro, -a black; dark; dismal, wretched, gloomy

ni nor, or, neither; even, not even; **— ... —,** neither ... nor

ningún, ninguno, -a no, none; no one; **de — modo** by no means

niño, *m.* child, boy, son, young boy; **tan —,** so young

no no, not

noble noble

nocturno, -a nocturnal, nightly, of the night

noche *f.* night; **esta —,** this evening, tonight; **de —,** at night; **por la —,** at night; **ser de —,** to be night; **—es pasadas** in the nights past; after a few nights; **buenas —es** good night

nombre *m.* name

nos us, to us

noticia *f.* news, information

nube *f.* cloud

nudo *m.* knot, bond

nuestro, -a our, ours; **el —,** our, ours

nueva *f.* news

nuevo, -a new; **¿ qué hay de —?** what is the news? what is new?

numeroso, -a numerous, many; large

nunca never, ever; **más que —,** more than ever

O

o or; **— ... —,** either ... or

objeto *m.* aim, purpose, object

obligar to oblige, compel

observar to observe, watch

obstinarse to insist, persist

obtener to obtain, get

ocasión *f.* occasion, opportunity

ocultar to hide, conceal

oculto, -a hidden; **lo más —,** the furthermost recess *or* nook

ocupado, -a occupied, busy

ocupar to occupy, engage

odiar to hate, despise

ofender to offend, injure

ofrecer to offer, promise

ofuscar to cloud, obscure

oído *m.* hearing; ear

oír to hear

ojalá would to God! oh that! I wish ... !

ojo *m.* eye; **mal de —,** evil eye; **hacer mal de —,** to cast a spell

olvidar to forget

olvido *m.* oblivion, forgetfulness; **poner en —,** to forget

omnipotente omnipotent, almighty

oponer to oppose

oprimir to oppress, crush

opuesto, –a opposite
orar to pray
orden *f.* order
ordenar to order, command
orgullo *m.* pride
orgulloso, –a proud, haughty
orilla *f.* bank, shore; —s de along
oro *m.* gold
os you, to you
osado, –a daring, bold
osar to dare
oscurecer to darken, stain
oscuridad *f.* darkness
oscurísimo, –a very dark
oscuro, –a dark; unknown; lo —, darkness
otro, –a other, another, different; al — día the next day; de — modo otherwise; —a vez again

P

paciencia *f.* patience
padecer to suffer, endure; *n. m.* suffering
padecimiento *m.* suffering
padre *m.* father; —s parents, forefathers, ancestors; — nuestro " Our Father " (*Lord's Prayer*)
pagar to pay, pay for; — bien pay dearly (for)
página *f.* page
pago *m.* payment; en —, as a recompense
paje *m.* page
palabra *f.* word
palacio *m.* palace
pálido, –a pale
palo *m.* club; a —s with blows
palpitar to palpitate, beat

par: a — de as, along with, equally, in measure as, on a par with
para to, in order to, for; as (a); ¿ —qué ? why ? for what reason ? — que to, in order that; — siempre forever; — sí to oneself
¡ pardiez ! by Heaven !
parecer to seem, appear, be apparent; —le a uno think
pared *f.* wall
parrillas *f.* gridiron, grate
parte *f.* part, place; a —, aside; por todas —s everywhere; a todas —s everywhere; en cualquiera —, anywhere
particular particular, strange
particularmente particularly, in particular, especially; privately, secretly
partidario, –a partisan, follower
partir to leave, depart; break, cleave, part
pasado, –a past
pasar to pass, happen; spend (*time*)
pasearse to walk, take a walk
pasión *f.* passion, love
paso *m.* step, pace
pausa *f.* pause
pausado, –a slow, calm, measured
pausar to pause
pavor *m.* fear, dread, terror
paz *f.* peace
pecho *m.* breast, bosom; heart
pedir to ask, ask for, beg, pray
pelear to fight
peligrar to be in danger, run peril
peligro *m.* peril, danger; co-

rrer —, to be dangerous, be in danger

peligroso, –a perilous, dangerous

pelota *f.* ball; jugar a la —, to play ball

penacho *m.* plume *or* feather (*of a helmet*)

pender to hang

pendiente hanging

penetrante penetrating, piercing

pensar to think, think of, intend; — en think of; — de think about

peor worse; worst

percibir to perceive; — confusamente hear indistinctly

perder to lose; ruin; —se ruin oneself

perdición *f.* perdition, ruin

perdidamente madly, desperately

perdón *m.* pardon, mercy, forgiveness

perdonar to pardon, forgive; spare

pérfido, –a perfidious, treacherous

perjuro, –a faithless, false, treacherous, perjured

permitir to permit, let, allow

pero but

perseguido, –a persecuted

perseguir to persecute, pursue, follow

persistir to persist, insist

persona *f.* person; character; por su —, personally

personaje *m.* personage, character, dramatis persona

pertenecer to belong

perverso, –a perverse, wicked

pesar *m.* regret, worry; sorrow;

a — de in spite of; a su —, to his *or* her sorrow

pesar to weigh, be heavy; —le a uno not to be to one's liking, regret, be sorry because of

¡ pesia ! curse ! ¡ — mi negra fortuna ! curse my (bad) luck !

piadoso, –a pious, merciful

pica *f.* pike, lance

pícaro, –a wretch, knave; —a de la bruja malicious witch

pie *m.* foot; de —, standing

piedad *f.* pity, mercy; por —, for pity's sake; please listen to me, please don't; tener — de to take pity on, have pity for

piedra *f.* stone

pillar to catch, seize, lay hold of; pillage

pincel *m.* brush

pintado, –a imprinted, impressed

pintar to paint, imprint, impress

placer *m.* pleasure, joy; de —, with pleasure

placer to please; pluguiera a . . . would to . . .

plácido, –a placid, calm

plata *f.* silver

plugo *pret. of* placer

pluguiera *impf. subj. of* placer would

pobre poor, lowly

pobretón, –a very poor; *n. m.* very poor man

pobreza *f.* poverty

poco, –a small, little, a little; a short time; —s few; estar en — que no . . . to almost

..., come near –ing; **a los —s días** in a few days, after a few days; **a — rato** in a little while

poder *m.* power

poder to be able, can; **no — menos de ...** can not help –ing; **— lo todo** be able to do everything *or* anything

poético, –a poetical

polvo *m.* dust, ashes

pomo *m.* (apple shaped) flask

pompa *f.* pomp

poner to put, place; **—se a** begin; **—se en marcha** start on one's way, start on a march; **— en olvido** forget; **— cerco a** lay siege to, besiege

por to, through, over; on account of; for, for the sake of; **¿ — qué?** why? **— último** finally; **— consiguiente** consequently, therefore; **— siempre** for ever; **— instantes** gradually; **— la frente** from in front; **— la espalda** from behind; **— ventura** perchance; **— compasión** *or* **piedad** for pity's sake; **—mi mal** to my sorrow; **— todas partes** everywhere

porque because

porvenir *m.* future

posible possible

postrado, –a prostrate

postrar to humble, prostrate; **—se** prostrate oneself

precio *m.* price

precipitado, –a hasty, quick

precipitar to precipitate, hurl, dash

precisamente precisely, exactly, necessarily, undoubtedly, doubtless

preciso, –a necessary

preferir to prefer

preguntar to question, ask

preludio *m.* prelude

premio *m.* reward, prize, recompense; **en — a** as a reward for

prenda *f.* pledge, token; beloved

prender to arrest, take, catch, seize

preparado, –a prepared, ready

preparar to prepare

presa *f.* seizure, spoils, booty; prisoner

prescripto, –a outlawed, outlaw

presencia *f.* presence

preso, –a arrested, seized, taken (*prisoner*), captured

presteza *f.* quickness, agility

presto quick, quickly, soon

pretender to pretend, attempt, try, plan

pretensión *f.* pretension

primer, primero, –a first; *adv.* rather

príncipe *m.* prince

principio *m.* beginning

prisa *f.* haste; **de —,** quickly

prisión *f.* prison

privar to deprive, prohibit

probar to prove; try

procurar to try; obtain

prodigar to shower, lavish

profanar to profane

profesar to profess, take the vows

profundo, –a deep; thick, heavy

prolongado, –a prolonged

prolongar to prolong

promesa *f.* promise

prometer to promise

pronto ready; soon; — **a** ready for; **bien** —, very soon, immediately; **de** —, suddenly

propio, -a own, very; suitable, fit, proper, convenient

proporcionarse, to procure, obtain

propósito *m.* plan, purpose, intention; **a** —, fitting, opportune, suitable, likely

prosa *f.* prose

prosapia *f.* family, race

proscripto, -a exiled, banned, under ban, outlawed

prosternado, -a prostrated

prostrarse to prostrate oneself

proteger to protect, favor; take under one's protection

proverbio *m.* proverb

proyecto *m.* project, plan

prudentemente prudently, wisely

prueba *f.* proof

públicamente publicly, openly

pud– *pret. ind. or impf. subj. stem of* **poder**

pueblo *m.* town; people, crowd

puerta *f.* gate; door; — **del Sol** *a square at the eastern end of the Calle del Coso; the University of Saragossa borders on it*

pues but, then, since; well! why! — **bien,** very well; **well** then; ¡ — **qué!** well! (*often not translated*)

puesto *past part. of* **poner**

pujanza *f.* strength, might, power

pulsar to strum, play

punta *f.* point (*of a thing*); earmark; symbol

punto *m.* point (*of time*); **al** —, immediately, instantly

puñal *m.* dagger

puro, -a pure, spotless, undefiled

Q

que who, which, that; than (*often untranslated, there being understood before it some such word as* **digo,** **quiero,** *etc.*); **el** —, who, he who; **para** —, in order that, so that; **a** —, that; **sin** —, without; (*after* **tener**) to, for; **lo** —, how much, what; (*before independent subjunctive*) let

¿ qué? what? which? ¡ —! what! what a! ¡ **a** —? why? ¿ **para** —? why? for what reason? ¿ **por** —? why?

quebrado, -a broken, lifeless

quebrantar to break, crush, cut

quebrar to break

quedar to remain; be; —**se** remain; —**se adiós** good-by, remain in God's care; —**se dormido, -a** fall asleep

queja *f.* complaint

quejido *m.* moan, wail

quemar to burn; devour (*of flames*)

querella *f.* quarrel, plaint, complaint

querer to wish, desire, want; will; love; pretend; **quiere** (*in stage directions*) is about to querido, –a dear, beloved

querría *condl. of* querer

quien who, whom; he who, the one who

¿ quién ? who ? whom ?

quimérico, –a fantastic, chimerical

quinto, –a fifth

quisiera I (you, he, she) should *or* would like; would

quitar to take, take away

quizá, quizás perhaps

R

rabia *f.* rage, anger; dar —, to fill with rage

Raquel Rachel

raro, –a rare, strange, odd

rasgar to tear, rend

rato *m.* moment; largo —, a long time; a poco —, in a short time; a little later; buen —, pleasant time

raudal *m.* torrent

rayo *m.* thunderbolt

razón *f.* reason; tener —, to be right

real real, genuine; royal

rebato *m.* summons, alarm; tocar a —, to sound an alarm

rebelde *m.* rebel

rebozado, –a muffled (*in a cloak*)

recibir to receive, get

recién recent, recently, lately; *adv.* recently

reciente recent, late; just

reclinatorio *m.* prayer-stool

recobrar to recover, get back

recompensar to recompense, reward

reconocer to recognize

reconvención *f.* reproach

recordar to recall, remind, remember; —se de recall, remember

recostado, –a lying down, reclining

recostarse to lie down; repose

recuerdo *m.* memory, remembrance

recurso *m.* recourse; —s resources, means

rechazar to reject, repulse, repel

Redentor *m.* Redeemer

referirse to refer

regularmente regularly, usually, for the most part, most of the time

reina *f.* queen

reír to laugh; —se de laugh at

reja *f.* grill (*of a window*), grating

relámpago *m.* flash, streak of lightning

religiosa *f.* nun

religioso *m.* priest

reluciente shining, bright

remedio *m.* remedy, help; sin —, without fail

rencor *m.* grudge, hatred, animosity

renglón *m.* line

reo *m.* culprit, criminal

reparar (en) to notice

repente de —, suddenly

repetir to repeat

reposar to rest, (take a) sleep

representar to represent; perform

resentirse to resent; suffer; give way

resignarse to resign oneself, submit

resistencia *f.* resistance

resistir to resist

resonar to resound, sound

respecto: — a with regard to, concerning

respetar to respect

respirar to breathe; calm oneself, regain one's senses, "come to"

resplandor *m.* glare, brilliancy; al —, in the glare

responder to answer, be responsible for; — de answer for

responso *m.* chant, response; cantar un —, to chant

respuesta *f.* answer

restar to remain, be left

resto *m.* remnant, remainder, bit; spark

resuelto, –a resolved, decided, determined

retar to challenge; speak haughtily; andar en — a speak haughtily to

retemblar to tremble, roar, vibrate, resound (fearfully)

retirarse to withdraw, draw aside, leave

retronar to thunder (*in the distance*)

revelación *f.* revelation

revelar to reveal

revista *f.* review

revolotear to flutter

revuelta *f.* revolt, uprising

rey *m.* king

rezar to pray; recite (*a prayer*)

ribete *m.* fringe; trapping, symbol; —s de bruja earmarks of a witch

rigor *m.* severity

riña *f.* quarrel

risueño, –a smiling, cheerful

rival *m.* rival

robar to steal, rob

rodar to roll; hover

rodear to surround, go round, wander

rogado, –a entreated, begged

rogar to ask, pray, beg, entreat

rollizo, –a chubby, plump, round

ronco, –a rough, hoarse

rondar to haunt, hover about (*a place*), make the (nightly) rounds

rostro *m.* face

ruego *m.* prayer, entreaty

rugir to roar

ruido *m.* noise, sound

rumor *m.* noise; rumor, report

S

saber to know, know how, learn, find out; un no sé qué de something (inexplainably) ...

sacar to take out, draw out, extract, shake out

sacerdote *m.* priest

saciar to satisfy, satiate, quench

saco *m.* sack, pillage; entrar a —, to sack, pillage

sacrificar to sacrifice

sacrificio *m.* sacrifice

sacrosanto, –a sacrosanct, consecrated, sacred, most holy

sacudir to beat, knock; discharge

sagrado, –a sacred

sala *f.* hall, room; — **corta** drop scene showing a drawing-room

salgamos *1st per. pl. pres. subj of* **salir** let us go out

salida *f.* exit, going out; entrance; appearance

salir to go out, come out; come (*on the stage*), enter

salvar to save, rescue

salvo, -a safe; **estar en —,** to be safe

sangre *f.* blood

sangriento, -a bloody, blood-stained

santo, -a holy, sacred

Satanás *m.* Satan

se himself, herself, etc; *often substitute for passive*

seco, -a dry, withered

secreto *m.* secret

secreto, -a secret

seductor *m.* seducer, deceiver

seductor, -ora seductive, enchanting; alluring, haunting; dreamy

seguir to follow

segundo, -a second; *n. m.* second

seguramente surely, certainly

seguro, -a safe, sure, certain

seis six

seiscientos, -as six hundred

semana *f.* week

semblante *m.* face

semejante similar, such

sempiterno, -a eternal, everlasting

seno *m.* breast, bosom

sentado, -a seated, sitting

sentar to seat, sit; —**se** sit down

sentencia *f.* sentence, penalty

sentido *m.* sense, feeling

sentir to feel; regret, feel sorry; —**se** feel

seña *f.* sign, signal; **hacer una —,** to beckon, signal

señal, *f.* sign, signal

señalar, to point out, show

señor *m.* sir; master (*not translated when modifying a title as* **señor conde**); **Señor** Lord

separar to separate; —**se del lado** leave

sepulcro *m.* sepulcher, grave, tomb

séquito *m.* procession; suite, retinue

ser *m.* being; life

ser to be; **si fuera** if it (I, he, she) were; — **fuerza** be necessary; — **preciso** be necessary; — **cosa de un momento** be a matter of a moment

servicio *m.* service; **estar al — de** to be in the service of; **del —,** in the service.

servir to serve

si if, whether; ¿ — ... ? what if ... ?

sí *adv.* yes; indeed; **eso —,** he is (that); *pron.* himself, herself, etc.

sido *past part. of* **ser**

siempre always; **para —,** forever; **por —,** forever

siglo *m.* century

significar to mean

siguiente following, next

silencio *m.* silence

silenciosamente silently

silencioso, -a silent

simple, simple, mere

sin without; (*followed by the inf.*) without –ing; (*followed by a noun*) ... less; — **duda** doubtless; of course; — **embargo** nevertheless; — **que** without; — **límites** endless

sincero, –a sincere

siniestro, –a sinister

sino *conj.* but, if not; except; **no ... —,** only, almost; *prep.* except

siquiera even, at least

sitiar to besiege

sitio *m.* place; siege

soberbio, –a proud, haughty

sobre upon, over, above

sobrecoger to seize, catch, overtake

sobresaltado, –a startled, frightened

sobresaltar to startle, frighten, surprise; —**se** be startled

socorrer to help, aid

sofocar to suffocate, stifle

sol *m.* sun

solamente only, alone

solar *m.* manor, castle

soldado *m.* soldier

soler (*followed by the inf.*) to be wont, be accustomed

solo, –a alone, single; one; empty (*of a stage*)

sólo *adv.* only, alone; **tan —,** only

soltar to let go (of), let loose, free

sombra *f.* shade, shadow

sombrío, –a somber, dark, gloomy

sonar to sound; — **a la alarma** sound the alarm; —**se** be said, be rumored

sonreír to smile; —**se** smile

sonrisa *f.* smile

soñar to dream

soportar to bear, support, endure

sorberse to sip

sordo, –a deaf, deafening

sorprender to surprise; —**se** be surprised

sosegar to calm, appease, quiet

sospechar to suspect

sostener to support, help

su his, her, its, etc.

suave gentle, smooth, soft

súbito suddenly; **de —,** suddenly

suceder to happen

sucesivo, –a successive following

suceso *m.* event, happening

sucumbir to succumb

sudor *m.* sweat

suelo *m.* ground, earth

sueño *m.* dream, sleep; **quitar el — a** to keep ... awake; **entre —s** in one's sleep

suerte *f.* way; fate, lot, fortune, luck; **de otra —,** in a different way; **de esa —,** in this *or* that way

sufrir to suffer, allow; stand for, tolerate, endure

suministrar to afford, offer, minister

superar to surpass, excel

superior above; greater, higher

suplicio *m.* execution, torture; place of execution

suponer to suppose, think

supongo *1st per. sing. pres. ind. of* **suponer**

suportar to bear, support, carry

supremo, –a supreme, highest

supuesto, –a supposed; por —, of course; pues, por —, why, of course

suspender to suspend, postpone

suspirar to sigh

suspiro m. sigh

suyo, –a his, hers, its, etc.; los —s his men, his followers

T

tal as, such, such a; — como such as, as...as, just as; — vez perhaps

también too, also

tan so, as, such; — sólo only; — niño so young

tanto, –a so much, so long; entre —, in the meantime, meanwhile, during this time; a —, to such a degree; so far; — como as much as; —s so many

tardanza f. delay

tardar to delay, be long (in doing something); es mucho —, there is too much delay

tarde f. afternoon

tarde adv. late, too late; llegar —, to be late; muy — será it will not be very soon

te you, to you; thee, to thee

teatro m. theater, stage

techo m. roof

tema m. theme, subject

temblar to tremble, shake, be afraid

temblor m. trembling, shudder

temer to fear, dread; —se dread, fear

temor m. fear

tempestad f. tempest, storm

temprano early

tender to stretch, stretch out, extend; cast; — los ojos look

tendido, –a stretched, stretched out

tener to have; be the matter, ail; — que have to, be obliged to; no tengo nada nothing is the matter with me; I am all right; ¿ qué tienes ? what ails you ? what is the matter with you? aquí la tienes here it is; — lugar de have occasion to; — lugar take place; — (un) miedo be afraid; — en algo value, esteem; — razón be right; — cuenta take care; — necesidad need; no —las todas consigo be uneasy, be at one's wit's end; —se stand up; —se por consider oneself; —se por dichoso think oneself fortunate or happy

tercer, tercero, –a third

ternura f. tenderness; con —, tenderly

terrible terrible, horrible

terror m. terror

tertulia f. assembly, circle, social gathering

ti you, thee

tiempo m. time, epoch; más —, any longer; en un —, at a time; con el —, in time; ya era —, it was about time; cual un —, as once upon a time; en — de antaño last year

tienda *f.* tent; levantar —s to strike tents

tierno, -a tender, affectionate, dear, sweet, loving, gentle

tirano *m.* tyrant

tocar to touch, strike; play (*an instrument*); find (*happiness*); — a rebato sound an alarm

todavía still, yet, again

todo, -a all, whole; — el the whole; a —as partes everywhere; por — un Dios for Heaven's sake

toma *f.* taking

tomar to take; — a take from

torcer to twist, twitch

tormento *m.* torture, torment

torneo *m.* tournament, tourney

torpe disgraceful

torre *f.* tower

tostar to burn at the stake

tradúzcase *pres. subj. of* traducirse translate

traer to bring, drag

traición *f.* treason, treachery, disloyalty, betrayal

traidor, -ora treacherous

traidor *m.* traitor, betrayer

traj- *pret. ind. or impf. subj. stem of* traer

trama *f.* plot

tranquilo, -a quiet, calm, peaceful

trasformar to transform

traslucirse to be divulged, conjecture, be apparent *or* transparent

traspasar to penetrate, go through

trastornado, -a excited, upset

trastornar to excite, upset

tratar to try; treat; —se de be a question of

travesura *f.* prank, wile

tremendo, -a tremendous, terrible

trémulo, -a tremulous, trembling, wavering, faltering, waving

tres three

triste sad, gloomy, unhappy; ¡ — de ...! alas for ...!

tristemente sadly

triunfo *m.* triumph

trono *m.* throne

tropa *f.* troop

tropezar to stumble; — con stumble over

trova *f.* lay

trovador *m.* troubadour

trueno *m.* thunder-clap

tú you, thou

tu your, thy

tumba *f.* tomb, grave

turbación *f.* confusion, worry, excitement, nervousness

turbado, -a confused, worried, excited, nervous, troubled

turbar to confuse, worry, excite, disturb, trouble

turbio, -a dark, murky, troubled, confused, obscure

tuv- *pret. or impf. subj. stem of* tener

tuyo, -a your, yours; thy, thine

U

ufano, -a proud, proudly

últimamente lately; at last, finally

último, -a last; por —, finally, at last

ultrajar to outrage, offend

un, una a, one; —**as** some, a
few

único, -a only, one, single; **lo
—**, the only thing

unir to unite, join

universo *m.* universe, world

uno, -a a, one; —**s** some, a
few; —**s ojos** a " pair of "
eyes; **el —**, one of them

Urgel *seat of a bishopric in the
province of Lérida, in the
Pyrenees. The Count of
Urgel was heading a revolt
against the king of Aragon.*

uso *m.* use

usurpador, -ora usurping; *n.*
usurper

V

va *3rd pers. sing. pres. ind. of* **ir**

vacilar to hesitate

vagabundo, -a vagabond, wan-
dering

vagar to wander

Valencia *a province in the southeastern part of Spain. It is
a predominantly mountainous
but very fine coast plain, the
richest in Spain. Its chief
city, Valencia, is the third
largest, in population, in the
country.*

valer to be worth

valeroso, -a brave

valiente *adj.* gallant, valiant,
brave; *n. m.* gallant fellow,
brave fellow

valor *m.* valor, strength, courage

vamos *1st pers. pl. pres. ind.
of* **ir;** *also a shortened form of*
vayamos let us go, let us ...

vanagloriarse to boast

vano, -a vain, useless

vapor *m.* vapor, mist

vario, -a various; —**s** some,
several

vasallo *m.* vassal

vaya *pres. subj. of* **ir**

véase *pres. subj. of* **verse** see

veces *pl. of* **vez**

ved *impve. of* **ver**

vejez *f.* old age

vela *f.* candle

Velilla *a small town on the Ebro,
in Aragón*

velo *m.* veil

ven *impve. of* **venir**

vencer to conquer, overcome,
win

vender to sell; sacrifice; be-
tray

veneno *m.* poison

venga *pres. subj. of* **venir**

venganza *f.* vengeance

vengar to avenge; — **de**
avenge on

venida *f.* coming

venir to come; — **a** come to,
come and

ventaja *f.* advantage

ventana *f.* window

ventura *f.* happiness, good fortune; **por —**, perchance

ver to see; **se dejan —**, can be
seen, are to be seen

verdad *f.* truth; **ser —**, to be
true, be so; **¿ es —?** are
you? don't you? etc.

verdugo *m.* executioner

verificarse to take place, be
realized

verso *m.* verse

verter to shed

vete *impve. of* **irse**

vez *f.* time; **tal —,** perhaps; **unas veces** sometimes, at times; **en — de** instead of

vía *f.* way, road; **por — de** as a

vía *old impf. ind. form of* **ver** = **veía**

vibrar to vibrate; hurl

víctima *f.* victim

victoria *f.* victory

vida *f.* life; **por mi —,** upon my life; by Heaven

vie– *pret. ind. or impf. subj. stem of* **ver**

viejo, –a old; *n.* old man *or* old woman

viento *m.* wind

vil vile, base

villano *m.* villain, " low trash "

villano, –a villainous, wicked, low, mean

vin– *pret. ind. or impf. subj. stem of* **venir**

vínculo *m.* tie, bond

violento, –a violent

virtud *f.* virtue; life

virtuoso, –a virtuous; fair

visaje *m.* grimace, contortion

visera *f.* visor

visión *f.* vision

visita to visit

vista *f.* sight, view

visteis *2nd pers. pl. pret. of* **ver**

visto *past part. of* **ver**

vivir to live; **vive el cielo** by Heaven; **vive Dios** by Heaven; **el —,** life, living; **tener en algo el —,** to value one's life

vivo, –a alive, living

Vizcaya Biscay (*one of the three Basque provinces, in northern Spain*)

volcán *m.* volcano

voluntad *f.* will; **cumplir la —,** to do the will

volver to turn, return; come to, regain one's senses, regain consciousness; **— a ...** to ... again

voraz devouring, destructive, fierce

vos you, to you

voto *m.* vow

voz *f.* voice, tone, rumor; **con — pausada** slowly, adagio

vuelta *f.* return

vuestro, –a your, yours

Y

y and

ya already, now; **— no** *or* **no —,** no longer; **— ... no** no more, no longer; **... — ni** no longer does any...; **— ... —,** now ... again, sometimes ... sometimes; (*with the pres.*) now; (*with the past*) already; (*with the fut.*) indeed; (*intensive adv.*) indeed; to be sure; of course

yacer to lie

yelmo *m.* helmet

yermo *m.* waste, desert, wilderness

yo I

yugo *m.* yoke

Z

Zaragoza Saragossa (*a city of more than* 110,000 *inhabitants, on the Ebro, about* 200 *miles northeast of Madrid*)

zumbido *m.* buzzing, humming